Nuevas canciones
De un cancionero
apócrifo
Poemas de la guerra

Biblioteca Machado

Antonio
Machado

Nuevas canciones
De un cancionero
apócrifo
Poemas de la guerra

Edición de Arturo Ramoneda

El libro de bolsillo
Biblioteca de autor
Alianza Editorial

Proyecto de colección: Odile Atthalin y Rafael Celda
Diseño de cubierta: Alianza Editorial
Ilustración: Beruete y Moret. *Paisaje montañoso* (fragmento).
Colección particular. Madrid. Fotografía: Oronoz

© Herederos de Antonio Machado
© De la edición: Arturo Ramoneda Salas, 2006
© Alianza Editorial, S. A., Madrid, 2006
    Calle Juan Ignacio Luca de Tena, 15;
    28027 Madrid; teléfono 91 393 88 88
    www.alianzaeditorial.es
    ISBN: 84-206-6057-4
    Depósito legal: M. 23.697-2006
    Compuesto e impreso en Fernández Ciudad, S. L.
    Printed in Spain

Introducción

El conocido «Retrato» que antepuso a *Campos de Castilla* («Mi infancia son recuerdos de un patio de Sevilla...»), la conducta pública que mantuvo hasta el final de su vida, su obra literaria y ensayística, su abundante correspondencia y los testimonios de las personas que lo conocieron y trataron ofrecen, como rasgos más destacados de la personalidad de Antonio Machado, el «torpe aliño indumentario», el carácter afable y bondadoso, el escaso aprecio por los maldicientes círculos literarios y artísticos de su época y el desdén de las pompas mundanas y los honores. También ponen de relieve su actitud resignada y estoica, teñida a veces de escepticismo irónico y de humor socarrón, ante las adversidades, su vocación filosofadora, la tendencia a la introversión y a profundizar e indagar en los más ocultos significados de su mundo interior, la consideración del diálogo y de la tolerancia como formas idóneas de convivencia y su defensa de la libertad y la dignidad de las personas («por mucho que valga un hombre –precisará– nunca tendrá valor más alto que el de ser hombre»). De su padre y su abuelo aprendió a respetar y a admirar al pueblo, del que, más de una vez, reconoció que se podía aprender mucho.

A pesar de que se mantuvo fiel a los ideales de belleza perseguidos por los modernistas, literariamente mostró su rechazo de lo superfluo, externo, colorista e inauténtico y, como consecuencia, su deseo de cantar con voz propia (uno de sus proverbios reza así: «Despertad, cantores: / acaben los ecos, empiecen las voces»).

Aunque el amor, concebido muchas veces como un deseo difícil de materializar, se convirtió en uno de los ejes de su poesía, recibió tardíamente las dos flechas que le había reservado Cupido. De su relación con Leonor, a la que se unió cuando ya tenía 34 años, sólo nos dejó una serie de poemas en los que expresó el intenso dolor por su pérdida (la época en que vivieron juntos apenas dejó huella en sus versos). Los testimonios poéticos y epistolares de su vinculación con Pilar de Valderrama («Guiomar»), a la que conoció cuando tenía más de cincuenta años, revelan un apasionamiento mucho mayor. De uno de sus complementarios dirá:

Que fue Abel Martín hombre en extremo erótico lo sabemos por testimonio de cuantos le conocieron, y algo también por su propia lírica, donde abundan expresiones, más o menos hiperbólicas, de un apasionado culto a la mujer.

Pero también aquí dejó patente que la poesía no es compatible con la presencia y la posesión, sino que suele nacer de la falta de algo que se añora.

La búsqueda de Dios o de algo que diera sentido a su vida, tan presente en sus poemas de *Soledades,* se irá haciendo más problemática y escéptica con el tiempo. En el poema CXXXVII:VI dirá: «El Dios que todos llevamos, / el Dios que todos hacemos, / el Dios que todos buscamos / y que nunca encontraremos». En realidad, la única etapa en la que se puede hablar de una vaga esperanza en el más allá o quizá de resucitar una fe perdida fue la que siguió a la muerte de Leonor.

El liberalismo y las «gotas de sangre jacobina» que, según él, corrieron siempre por sus venas, le vinieron, ante todo, de la tradición liberal de su familia y de las enseñanzas recibidas en la Institución Libre de Enseñanza. De ésta y del krausismo provienen también su gusto por la obra bien hecha, su sentido ético y su amor por la naturaleza.

Como otros escritores de su tiempo, Machado mantuvo una atención sin desmayos a la compleja vida española. Sus iniciales inquietudes regeneracionistas irán dejando paso, sobre todo desde su estancia en Baeza, a propuestas más radicales y progresistas. Su sueño de una España igualitaria, justa, solidaria, democrática y alejada de los egoísmos burgueses se mantendrá inquebrantable. También, frente a los deseos de los institucionistas de formar minorías selectas, Machado rechazará la cultura como un privilegio de unos pocos:

No soy partidario del aristocratismo de la cultura en el sentido de hacer de ésta un privilegio de casta. La cultura debe ser para todos, debe llegar a todos; pero, antes de propagarla, será preciso hacerla. No pretendamos que el vaso rebose antes de llenarse. La pedagogía de regadera quiebra indefectiblemente cuando la regadera está vacía. Sobre todo, no olvidemos que la cultura es intensidad, concentración, labor heroica y callada, pudor, recogimiento antes, muy antes, que extensión y propaganda.

El deseo de una poesía que se abriera a lo colectivo y que supusiera una quiebra histórica del individualismo decimonónico se acentúa en los años de Baeza. En 1919, en el prólogo que pone a la segunda edición de *Soledades. Galerías y otros poemas,* puntualiza:

Pero amo mucho más la edad que se avecina y a los poetas que han de surgir cuando una tarea común apasione a las almas. Cierto que la guerra no ha creado ideas nuevas –no pueden las ideas brotar de los puños–, pero ¿quién duda de que el árbol humano comienza a renovarse por la raíz, y de que una nueva oleada de vida camina hacia la luz, hacia la conciencia?

A pesar de esto, Machado mantuvo sus distancias frente a algunas de las más extremistas propuestas políticas que se impusieron en la época. Todavía en 1937, durante la guerra, en un «Discurso a las Juventudes Socialistas Unificadas», puntualizará:

Desde un punto de vista teórico, yo no soy marxista, no lo he sido nunca, es muy posible que no lo sea jamás [...]. Me falta simpatía por la idea central del marxismo: me resisto a creer que el factor económico, cuya enorme importancia no desconozco, sea el más esencial de la vida humana y el gran motor de la historia.

Un año después, el 19 de noviembre de 1938, escribía:

Carezco de filiación de partido, no la he tenido nunca, aspiro a no tenerla jamás. Mi ideario político se ha limitado siempre a aceptar como legítimo solamente el gobierno que representa la voluntad libre del pueblo. Por eso estuve siempre al lado de la República Española, por cuyo advenimiento trabajé en la medida de mis esfuerzos, y siempre dentro de los cauces que yo estimaba legítimos.

Antonio Machado Ruiz nació en Sevilla, en el seno de una familia de ideas progresistas, el 26 de julio de 1875 (un año antes había venido al mundo su hermano Manuel). Era hijo de Antonio Machado y Álvarez, abogado y conocido folclorista, y de Ana Ruiz, hija de un confitero de Triana. Su abuelo, Antonio Machado Núñez, catedrático de la Universidad, fue uno de los introductores del darwinismo en España. Sus vivencias infantiles en la capital andaluza, ciudad en la que no volverá a residir, tendrán una importancia trascendental en su obra poética.

En 1883, toda la familia, que atraviesa por graves problemas económicos, se traslada a Madrid con el abuelo, que ha sido nombrado decano de la Facultad de Ciencias. Hasta 1889, en que pasa al instituto San Isidro, Antonio estudia en la Institución Libre de Enseñanza, creada en 1876 con el fin de implantar métodos pedagógicos diferentes a los de la enseñanza estatal (a sus maestros, en especial a Giner de los Ríos, guardará siempre «vivo afecto y profunda gratitud»). Continúa sus estudios en el instituto Cardenal Cisneros, pero no termina el Bachillerato hasta 1900.

En 1892, su padre obtiene el cargo de registrador de la Propiedad en Puerto Rico. Sin embargo, una grave enfermedad (una tuberculosis) lo obliga al año siguiente a regresar a Sevilla, donde muere sin poder ver a sus hijos. La delicada situación económica familiar, agravada por la muerte del abuelo en 1895, obliga a otro hermano, Joaquín, a emigrar a Guatemala.

Por estos años, Machado lee a Bécquer y a los poetas simbolistas, se aficiona a los romances y a otras formas de la literatura popular, publica sus primeros artículos humorísticos en *La Caricatura* (1893), colabora en el *Diccionario de ideas afines* de Eduardo Benot, frecuenta las tertulias literarias y se aficiona al teatro y a los espectáculos flamencos (en 1900 entra como meritorio en la compañía teatral de María Guerrero y Fernando Díaz de Mendoza).

Entre junio y octubre de 1899 vive en París. Él y su hermano trabajan para la Editorial Garnier. Esta ciudad, recordará más tarde,

era todavía la ciudad del *affaire* Dreyfus en política, del simbolismo en poesía, del impresionismo en pintura, del escepticismo elegante en crítica. Conocí personalmente a Oscar Wilde y a Jean Moréas. La gran figura literaria, el gran consagrado, era Anatole France.

En la capital francesa pasará otra larga temporada como funcionario en el Consulado de Guatemala (de abril a agosto de 1902), a las órdenes del escritor Enrique Gómez Carrillo. En esta época colabora en las revistas *Electra, Helios, Blanco y Negro, Alma Española,* etc., y asiste casi a diario a la Biblioteca Nacional.

Su primer libro, *Soledades,* con 42 poemas (algunos ya habían sido publicados en revistas), aparece en 1903.

Un año después muere su abuela paterna, Cipriana Álvarez, único sostén económico de la familia. Machado en esas fechas carece de un trabajo estable y lleva una vida bohemia. En 1905, firma, con otros autores, un manifiesto contra Echegaray, que acababa de obtener el Premio Nobel.

A pesar de su escasa vocación para la enseñanza, prepara, con éxito, oposiciones a una cátedra de Lengua francesa de Bachillerato (la legislación no exigía para ser profesor de esta asignatura el título de licenciado). En mayo de 1907 toma posesión de la plaza que ha obtenido en el instituto de Soria. En septiembre se asienta en esta ciudad. Aquí colaborará en *Tierra Soriana, El Porvenir Castellano* y *El Avisador Numantino.*

A finales de 1907 se reedita, con notables cambios, su primer libro, con el título ahora de *Soledades. Galerías. Otros poemas.* Machado ha suprimido 13 poemas de la edición de *Soledades* y ha añadido muchos más.

El 30 de julio de 1909 se casa con una joven de 15 años, Leonor Izquierdo, hija de la dueña de la pensión en que se alojaba. Fueron padrinos Ana Ruiz, madre de Machado, y Gregorio Cuevas, tío de Leonor. Según *El Avisador Numantino:* «La novia, en la ceremonia, lució elegantísimo traje de seda negro, cubriendo su hermosa cabeza con el clásico velo blanco, prendido elegantemente y adornado con un ramo de azahar. El novio iba de rigurosa etiqueta». El piso que ocuparon él y Leonor será la única vivienda propia del poeta. El resto de su vida vivió en pensiones o en Madrid, con su familia.

En enero de 1911, gracias a una pensión de 250 pesetas mensuales, concedida por la Junta para Ampliación de Estudios, se traslada, con su mujer, a París. Aquí asiste, en el Colegio de Francia, a los cursos de filología francesa de Joseph Bédier y a las conferencias del filósofo Henri Bergson. El 14 de julio, Leonor presenta los primeros síntomas graves de hemoptisis. A principios de septiembre, con la ayuda económica de Rubén Darío, regresan a Soria.

Su segundo libro de poemas, *Campos de Castilla*, aparece en la primavera de 1912. A pesar de que se muestra muchas veces en primera persona, interrumpe la descripción con incisos y sigue meditando sobre los enigmas del hombre y del mundo, Machado exhibe menos sus problemas e inquietudes y muestra una mayor objetividad que en *Soledades*. El mundo exterior, las gentes de su entorno y los aspectos históricos y sociales de Castilla atraen preferentemente su atención. Aunque se tiña de connotaciones espirituales y ejerza un efecto subjetivo sobre él, la naturaleza, más que un pretexto para plasmar una situación anímica, tiene una existencia real.

Poco después, el 1 de agosto, muere Leonor. Los meses que siguen los pasa Machado en Madrid.

En el instituto de Baeza (Jaén) reanuda sus tareas docentes, después de una profunda crisis espiritual, a principios de noviembre. Uno de sus alumnos, Rafael Laínez, lo ha recordado así:

Los estudiantes sentíamos mucho respeto por este profesor serio y tierno a la vez, que sabía sonreír desde su lejanía como si estuviera atento a la presencia ausente de algo que nosotros ignorábamos aún. El ancho claustro renacentista del viejo edificio estaba lleno de luz y de algarabías estudiantiles, pero se colmaba de silencio con sola su presencia.

En 1915 comienza a estudiar Filosofía y Letras, carrera que terminará tres años después. También colabora en la revista *España* y muestra sus simpatías por los aliados. En 1917 publica unas *Páginas escogidas* y sus *Poesías completas*. En Baeza recibe la visita de un grupo de estudiantes granadinos (entre ellos va Federico García Lorca). Durante esta época realiza excursiones y visita diversas localidades andaluzas.

En 1919 se traslada al instituto de Segovia. En esta ciudad será cofundador de la Universidad Popular, centro cultural donde recibían instrucción gratuita trabajadores y gentes del pueblo. En Madrid, donde a partir de ahora pasa los fines de semana, se relaciona con diversos escritores. En los años siguientes colabora en *Índice, La Pluma, Revista de Occidente* y otras publicaciones.

Su tercer libro, *Nuevas canciones,* aparece en abril de 1924.

Al año siguiente ve la luz la segunda edición de *Páginas escogidas.* En 1926 se adhiere a la Alianza Republicana y comienza a publicar, en *Revista de Occidente,* el *Cancionero apócrifo de Abel Martín.* Con *Desdichas de la Fortuna o Julianillo Valcárcel* inicia una fructífera colaboración teatral con su hermano Manuel. En 1927 es elegido para la Real Academia Española, pero nunca leerá el discurso de ingreso. Poco después, en 1928, inicia unas relaciones sentimentales con la poetisa Pilar de Valderrama (la «Guiomar» de sus versos) y aparece la segunda edición de sus *Poesías completas.*

Él y su hermano Manuel obtienen en 1929 un gran éxito teatral con el drama *La Lola se va a los puertos.* En 1931 se adhiere a la Agrupación al Servicio de la República, constituida por Gregorio Marañón, José Ortega y Gasset y Ramón Pérez de Ayala. El 14 de abril participa en la ceremonia de proclamación de la República en Segovia. Forma parte también del Patronato de las Misiones Pedagógicas. En septiembre de este año se traslada al instituto Calderón de la Barca de Madrid. A partir de ahora vivirá con su madre y con su hermano José. En los años siguientes colabora en *El Sol* y en otras publicaciones. Se le nombra «hijo adoptivo» de Soria (1932) y aparece la tercera edición de sus *Poesías completas* (1933). En 1935 pasa al instituto Cervantes de Madrid. La cuarta edición de sus *Poesías completas* se publica en 1936. Este año ve la luz *Juan de Mairena. Sentencias, donaires, apuntes y recuerdos de un profesor apócrifo* (las primeras prosas de este libro habían aparecido en 1934).

Desde el estallido de la Guerra Civil se coloca al lado de la República (su hermano permanecerá en Burgos, en la zona franquista). En noviembre de 1936 se traslada a Valencia con su familia. Poco después se instala en el pueblo vecino de Rocafort.

En julio de 1937 participa en el II Congreso Internacional de Escritores para la Defensa de la Cultura. Se publica su último libro, *La guerra,* ilustrado por su hermano José. Colabora asiduamente en la revista *Hora de España.*

Ante el avance del ejército nacional, en abril de 1938 se traslada a Barcelona, donde inicia, en el diario *La Vanguardia,* una sección titulada «Desde el mirador de la guerra». A finales de enero de 1939 sale con su madre de España. Después de un penoso viaje hasta la frontera, ambos se instalan en el pueblecito de Collioure, donde mueren poco después (él, el 22 de febrero; ella, a los tres días). Allí permanecen enterrados. El último verso que escribió fue: «Estos días azules y este sol de la infancia».

Nuevas canciones

En *Nuevas canciones,* su tercer libro, Antonio Machado recogió, en 1924, composiciones escritas en Baeza y en Segovia, que se vieron incrementadas en las sucesivas ediciones de sus *Obras completas.*

El libro se inicia, por tanto, con poemas de una época –la de la Primera Guerra Mundial, la revolución rusa y la huelga

revolucionaria de 1917– que para Machado supuso el inicio
de un profundo cambio histórico. En un apunte de *Los complementarios,* escrito entre el 20 de septiembre y el 4 de octubre de 1917, precisaba:

Pero ¿no estamos en el siglo XX? ¿No se habla ya de novecentis-
mo? ¿No hay quien pretenda ya pisar la tierra firme de un siglo
nuevo? Si esto fuera así –lo que yo no afirmo ni niego–, dos bellas
perspectivas se ofrecen a nuestra mirada. Una es el siglo que
empieza y del cual aún no sabemos todo lo que lleva en el vientre:
otra, el siglo que se fue y que ya podemos añorar.

Esta creencia, reiterada por Juan de Mairena, de que es
ahora cuando comienza una nueva etapa histórica, no impide los temores de Machado sobre la pervivencia del pasado.
En uno de los proverbios de este libro (VII) se interroga:
«¿Siglo nuevo? ¿Todavía / llamea la misma fragua? / ¿Corre
todavía el agua / por el cauce que tenía?».

La heterogeneidad del ser

También es notable el deseo del poeta de alcanzar ahora una
mayor objetividad y de escapar de su tendencia narcisista. El
conocimiento individual es una forma de abrirse a los demás,
pero también la valoración independiente del prójimo puede ser una vía para sacar a la luz lo mejor y más puro de nosotros. La «heterogeneidad» del ser y el ansia de lo «otro» que
tiene cada persona serán, junto con el tiempo y la nada, los
ejes de las reflexiones metafísicas que desarrollará más tarde
en prosa. A Unamuno le escribe el 16 de enero de 1918:

Mi hermano no es una creación mía ni trozo alguno de mí mismo; para amarlo he de poner mi amor en él y no en mí; él es
igual a mí, pero es otro que yo, la semejanza no proviene de
nosotros sino del padre que nos engendró [...]. El amor frater-

nal nos saca de nuestra soledad y nos lleva a Dios. Cuando reconozco que hay otro yo, que no soy yo mismo ni es obra mía, caigo en la cuenta de que Dios existe y de que debo de creer en él como en un padre.

En las seis soleares y en el romance de la serie «De mi cartera» (CLXIV), que constituyen su poética de entonces, Machado se distancia del parnasianismo y del simbolismo y, frente a lo sensorial, defiende que el reflejo en la poesía del tiempo que pasa («palabra en el tiempo») es lo que puede provocar una emoción en el lector.

Valoración crítica

Este nuevo poemario, en el que conviven lo emotivo, lo cerebral y lo reflexivo, las impresiones paisajísticas y lo popular y lo culto, fue recibido de forma respetuosa pero fría. Antonio Sánchez Barbudo concluye así su repaso de la poesía de Machado:

Al llegar a *Nuevas canciones* se advierte una decadencia. O más bien podría decirse que *sigue* la decadencia, ya que ésta es bien visible al final de *Campos de Castilla*. Pero de todos modos, tanto en esta época, 1917-1925, como antes o después, aparecen brillantes chispas de emoción, de intuiciones, de belleza. Y aquí y allá, de vez en cuando, espléndidos poemas.

A este menor interés de críticos y lectores contribuyó el alejamiento de Machado de los rumbos innovadores impuestos en la poesía española por Juan Ramón Jiménez con *Diario de un poeta recién casado* (1917) y con otras obras que siguen, por los movimientos de vanguardia –el Creacionismo y el Ultraísmo–, que habían tenido su momento de esplendor entre 1918 y 1922, y por las primeras obras de los autores del 27.

En 1958, Dámaso Alonso resumía así las reservas que había provocado esta obra:

Los libros anteriores, *Soledades. Galerías. Otros poemas* (1907) y *Campos de Castilla* (1912), tenían una gran unidad de inspiración y aun de técnica; las *Soledades* y *Galerías* eran paisajes de ensueño y de prodigio; los *Campos de Castilla* eran paisaje y vida de la realidad castellana, y todo en ambos libros movido o traspasado por un sentimiento vivísimo: el alma del poeta proyectada sobre su creación, traspasándola, fundida en ella. Las *Nuevas canciones,* en contraste, son una especie de muestrario: algunos poemas que recuerdan los *Campos de Castilla,* otros que, con apenas destellos de sentimiento, meten al campo andaluz en una rígida cartonería mitológica, y, en fin, estos poemas minúsculos, definidores dogmáticos, condensación de turbias intuiciones puramente cerebrales, alejados de la experiencia viva. Con ellos, el poeta estaba atravesando un difícil linde de lírica a filosofía.

Mucho más benévolo se muestra José María Valverde, para quien «en este libro es donde empieza de lleno para Antonio Machado "la hora de la verdad", una verdad acaso excesiva para la obra poética»: «Libro difícil de leer, éste, que sólo en muy contadas páginas llega a dar la impresión del hallazgo genial, pero que al final, después de leído y olvidado y vuelto a recordar, nos trae una angustia serena, sin fondo, que hace ver como casi trivial su poesía anterior».

Métrica

Lo más llamativo de estas *Nuevas canciones* está en la mayor inclinación ahora de Machado por el soneto, forma estrófica que apenas había merecido su atención. En unas «Notas sobre la poesía» (1916) había escrito:

Va el soneto de lo escolástico a lo barroco. De Dante a Góngora, pasando por Ronsard. No es composición moderna, a pesar de Heredia. La emoción del soneto se ha perdido. Queda sólo el esqueleto, demasiado sólido y pesado para la forma lírica actual. Todavía se encuentran algunos buenos sonetos en los poetas portugueses. En España son bellísimos los de Manuel Machado. Rubén Darío no hizo ninguno digno de mención.

Poco después le advertía a uno de sus alumnos, el ya mencionado Rafael Laínez: «Sonetos, ni de Cervantes; se han inventado para castigo de los malos poetas..., y si el pensamiento y la técnica no se ponen de acuerdo espontáneamente, mejor es abstenerse de escribir sonetos. Acaso como ejercicio...».

También se intensifica ahora el interés de Machado, nunca desmentido, por la poesía popular, por el cantar, por la composición breve, concisa y sentenciosa. Ya en 1920 advertía:

Yo, por ahora, no hago más que Folk-lore, autofolklore o folklorismo. Mi próximo libro será, en gran parte, de coplas que no pretenden imitar la manera popular sino coplas donde se contiene cuanto hay en mí de común con el alma que canta y piensa en el pueblo. Así creo yo continuar mi camino, sin cambiar de rumbo.

No es extraño que Machado estuviera en el jurado que otorgó en 1924 el Premio Nacional de Literatura a dos obras de corte popular y clásico, *Marinero en tierra,* de Alberti, y *Versos humanos,* de Gerardo Diego, respectivamente.

Mediante estas formas métricas y otras ya conocidas, Machado deja entrever en este libro cómo el clasicismo y la tradición son los cauces por los que corren las aguas de la «fuente homérica», venero inagotable de lo eterno y de lo elemental humano. Lo clásico y lo folclórico, con sus convenciones formales, le van a servir para depurar el poema de resonancias subjetivas y personales, lo que favorece el distanciamiento frente a la experiencia creadora, una mayor fe en lo externo, aunque quede lejos del «fetichismo de las cosas» proclamado por los vanguardistas, y un relativo optimismo fenomenológico («vivir para ver»: CLXI: XXXIV). En el borrador que dejó de su «Discurso de ingreso en la Academia de la Lengua» trazó la evolución de la lírica desde el siglo XIX hasta los movimientos de vanguardia, es decir, desde el triunfo del subjetivismo, prolongado por la literatura simbolista, hasta la literatura concebida como juego intelectual. Para él, la literatura del mañana podría ser «un retorno a la objetividad, por un lado, y a la fraternidad, por el otro».

Como curiosidad, señalemos que algunos de los poemillas que aquí figuran, aunque estén inspirados por la lírica tradicional, tienen un parecido notable con la poesía japonesa, de moda entonces entre los escritores vanguardistas. Incluso Machado glosará un poema de Sokán (1465-1533), uno de los máximos cultivadores de haikus: «A una japonesa, / le dijo Sokán: / con la blanca luna / te abanicarás, / con la blanca luna, / a orillas del mar» (CLV).

Soria y Andalucía

Su atención, una vez más, sigue centrada en los paisajes de Castilla, ampliados ahora con los de Segovia, ciudad en la que vive desde 1919. Así ocurre especialmente con las «Canciones del alto Duero» (CLX), a las que, con justicia, se ha puesto en relación con lo que en estas fechas escribían algunos poetas del 27. Para Cernuda:

Machado compone poemitas donde no sé si sería justo decir que asoma cierto eco de la lírica que entonces publican algunos poetas de la generación nueva; por ejemplo, las «Canciones del alto Duero» entre otras, que recuerdan algunos de los poemillas de Alberti en su libro *Marinero en tierra.*

Las tierras del sur también ocupan un amplio espacio en esta obra (la serie «Galerías» sirve de transición entre el sur y la meseta). Ya en el largo poema que abre el libro, «Olivo del camino», Machado muestra su deseo de equiparar este árbol, al que ya había dedicado el poema CXXXII de *Campos de Castilla,* a las encinas castellanas. El acercamiento cordial a las tierras andaluzas, para las que desea lo mejor, y el anhelo de poner fin a una economía feudal, lo llevan a invocar la protección de Deméter, la diosa maternal de la tierra y las cosechas que vigorizó a Demofón, el enclenque vástago de Keleos, sumergiéndolo en el fuego para hacerlo inmortal.

También, frente a atractivas estilizaciones populares relacionadas con el entorno próximo (CLIV), Machado se enfrenta aquí a tópicos andalucistas. En el CLV, constata la desaparición ya de la España de bandoleros y de crímenes pasionales. La joven soñadora que espera tras la reja deberá elegir entre personajes más cotidianos y grises: un notario, un usurero y el propio poeta, que aunque «viejo y tristón», lleva un león dentro del pecho.

El amor

Su vieja ansia de amor, nunca o solo pasajeramente satisfecha, y el recuerdo de Leonor siguen estando presentes en diversos poemas. En las «Canciones de tierras altas» (CLVIII), los recuerdos de Soria, como en otros poemas de *Campos de Castilla,* se cierran con la cita del cementerio donde está enterrada Leonor. En este sentido, destacan los dos sonetos con que se abren «Los sueños dialogados» (CLXIV). En ellos el poeta revela que las personas no son de donde nacen, sino de donde se enamoran («mi corazón está donde ha nacido, / no a la vida, al amor, cerca del Duero»), y, por eso, aunque esté en tierras andaluzas, se muestra fiel a los lugares a los que se vinculó afectivamente en el pasado.

Sin embargo, Machado se abre ahora a otras experiencias amorosas. En los sonetos, sobre todo, donde deja traslucir una intensidad erótica desconocida, hasta proclama la conveniencia de arder en la llama del amor («huye del triste amor, amor pacato, / sin peligro, sin venda ni ventura»: CLXV: V), porque en «amor locura es lo sensato».

En el apartado titulado «(Parergon)» figura una serie de poemas de corte amoroso y metafísico. En el primero, «Los ojos» (CLXII), el paso del tiempo, la primavera y unos ojos de mujer ponen fin al firme propósito del protagonista de vivir enclaustrado.

En los tres sonetos de «Glosando a Ronsard» (CLXIV), Machado recrea aspectos de este poeta francés del siglo XVI, al que ya había homenajeado en el «Retrato» que abre *Campos de Castilla*.

En los dos primeros, en los que se compara a una «fruta arrugada» y a una «mustia rama», Machado teme no estar físicamente a la altura de la bella dama que le ha enviado su retrato. Por ello, consciente del desengaño que va a provocar, decide, muy a su pesar, dejar pasar esta tentación amorosa.

Sin embargo, en el III, no renuncia del todo a la esperanza y le propone a la dama que, valiéndose de la imaginación, lo vea a través de un «sabio espejo» que ilumine la realidad interna: «Desdeñad lo que soy; de lo que he sido / trazad con firme mano la figura: / galán de amor soñado, amor fingido».

A pesar de esto, Machado deja claro en CLXV: III («¿Empañé tu memoria? ¡Cuántas veces!...») que el nombre de Leonor es el único que eternamente pervive de todas esas mujeres hacia las que las pasiones parecen haberlo arrastrado.

Sus evocaciones del mundo infantil tienen su mejor plasmación en el soneto IV de CLXV (una versión anterior puede leerse en la pág. 245). En él, Machado se remonta, como en otras ocasiones, al patio sevillano donde transcurrió su infancia. Mediante una superposición de tiempos consigue que la mirada errante que él recuerda de su padre escape «de su ayer a su mañana» y se apiade, con afán protector, de su desvalimiento presente.

«Proverbios y cantares»

Los 99 poemillas que se encadenan en la nueva serie de «Proverbios y cantares», de temática más variada que los de *Campos de Castilla,* son, en general, escuetos, metafísicos y conceptuales (uno de ellos, «Hoy es siempre todavía», sólo tiene un verso). Algunos se colocan en la línea sentenciosa del refranero y de la poesía gnómica (el LXI parafrasea uno de los proverbios morales de Sem Tob de Carrión, autor del siglo XIV). El carácter irónico y humorístico de otros nos lleva a los apuntes de *Los complementarios,* que había empezado a redactar en Baeza, y del posterior Juan de Mairena.

También pueden rastrearse en ellos ecos de las recopilaciones de cantares andaluces y de Campoamor, Bartrina y otros poetas del siglo XIX, que, con tonos prosaicos, pusieron en verso sus inquietudes amorosas, políticas, morales y religiosas.

Asimismo los hay formados por breves pinceladas o por reflexiones, observaciones y consejos variados, contrarrestados por una nota escéptica y burlona («Doy consejo, a fuer de viejo: / nunca sigas mi consejo», XCIV). En los de corte filosófico y ético, el autor predica la necesidad de buscar la verdad absoluta, no la subjetiva (LXXXV), ironiza sobre las corrientes vitalistas entonces en boga (XXXV) y, con una leve alteración de un famoso pensamiento de Descartes (LV) se opone a cualquier extremismo. También considera que todo se repite eternamente, pero no para cada persona, ya que el destino de cada uno es trazar caminos que se borran.

En los que aborda problemas literarios, Machado deja patente su apertura hacia la mayoría (LXXI-LXXII), su defensa de la sencillez («El tono lo da la lengua, / ni más alto ni más bajo; / sólo acompáñate de ella»: LXXVI), su prevención frente a la estética del barroco y su consideración de que el arte, aunque sea «juego», ha de ser «fuego» y «pura vida». Esto no impide que a veces se deslice hacia trivialidades, acertijos, paradojas y ocurrencias («Camorrista / boxeador, / zúrratelas con el viento»: XXXII) o se acerque a los rasgos de ingenio por los que se habían caracterizado las vanguardias («Por dar al viento trabajo, / cosía con hilo doble / las hojas secas del árbol»: LXII). Tampoco falta algún vago apunte de intención social («Que se divida el trabajo; / los malos unten la flecha; / los buenos tiendan el arco»: LX).

«Elogios»

Los «Elogios» que también introduce Machado ahora en el libro están, en la línea de los de *Campos de Castilla*, dedicados a Baroja, Azorín, Pérez de Ayala, Francisco Grandmontagne, Valle-Inclán, Emiliano Barral, Julio Castro y Eugenio d'Ors. Aunque de relativo interés –el que dedica a Azorín es quizá el más notable–, contienen aciertos aislados. Así ocurre con los dos versos en los que encierra el fondo romántico que envuelve el escepticismo de Baroja: «De la rosa romántica en la nieve, / él ha visto caer la última hoja».

De un cancionero apócrifo

La progresiva inclinación de Antonio Machado por la filosofía va a desembocar en *De un cancionero apócrifo*, escrito en verso y en prosa, cuyas diferentes partes, que se fueron publicando a partir de 1926 en *Revista de Occidente,* en *Mediodía* y en la *Antología de la poesía española contemporánea* de Gerardo Diego, se incorporaron a las *Poesías completas* de 1928, 1933 y 1936 con los números CLXVII-CLXXVI.

En este *Cancionero,* que nunca se publicó como libro independiente, Machado desarrolla ideas y asuntos extraídos de sus lecturas y de sus propias experiencias a través de dos filósofos sevillanos de su invención: Abel Martín (Sevilla, 1840-Madrid, 1898), autor de cuatro libros de filosofía y de un volumen de poemas, y de su discípulo Juan de Mairena (Sevilla, 1865-Casariego de Tapia, Asturias, 1909), quien, a su vez, tendrá otro interlocutor, Jorge Meneses, a quien corresponde fundamentalmente la defensa de la conveniencia de abrirse a la colectividad, frente a lo subjetivo e intelectual.

En otro libro de Machado, *Los complementarios,* figuran también los nombres de «doce poetas que pudieron existir», y que tienen una relación directa con el ciclo del *Cancionero apócrifo* (véanse las páginas 256-266 de esta edición). De esta forma, Machado se inventa una serie de nombres de los que traza una biografía, a los que atribuye unas ideas filosóficas y literarias y a los que convierte en autores de diversos poemas. Uno de esos apócrifos, Abel Infanzón, le servirá para su rechazo una vez más de la visión tópica y folclórica de Andalucía: «Sevilla y su verde orilla / sin toreros ni gitanos, / Sevilla sin sevillanos, / ¡oh maravilla!». Como Fernando Pessoa, Machado hace nacer y morir a sus apócrifos en fechas precisas y establece entre ellos una dependencia intelectual.

El traspaso a otros de sus propias inquietudes le permite al poeta evitar, con humor e ironía, el dogmatismo, la pedantería y la solemnidad, exponer intuiciones filosóficas que no podía tomar rigurosamente en serio, dudar de la respetabilidad de lo que se tiene por objetivo y fiable, superar la limitación de ser siempre el mismo, contemplar, desde fuera, sus propias ocurrencias y ampliar el campo de lo pensable e imaginable. En *Antonio Machado: teoría y práctica del apócrifo,* Eustaquio Barjau escribe: «La máscara es una desrealización del rostro; el personaje apócrifo, una desrealización de la *personalidad* reconocida y un reconocimiento de las fuerzas del yo oculto, imaginado o deseado; el pensamiento apócrifo es una puesta en cuestión del pensamiento manifiesto».

En este *Cancionero,* formado por una acumulación de textos poéticos y prosísticos, conviven pacíficamente el pensamiento de Abel Martín y las ideas literarias de Juan de Mairena. También se incluyen en él los poemas que Machado dedicó a Guiomar, y que no se atribuyen a ningún apócrifo.

A pesar de este contenido heterogéneo puede señalarse como asunto más reiterado la contraposición entre realidad e irrealidad, recuerdo y olvido, filosofía y poesía y creación y nada. Por boca de estos dos apócrifos, Machado teoriza sobre la «otredad» en relación con el amor y sobre la naturaleza de los impulsos amorosos. El incentivo mayor del amor es la «sed metafísica de lo esencialmente otro», pero la «inasequibilidad» con que se presenta la amada frustra este propósito.

Machado insiste también en que, frente al pensamiento lógico, que opone lo que es a lo que ha dejado de ser, la poesía debe ser la captación y expresión del tiempo. De ahí que a la valoración positiva de Jorge Manrique («¿Qué se hicieron las damas...?»), oponga la estética barroca, caracterizada por el cultivo de lo abstracto, el predominio de lo razonable sobre la intuición y el gusto por el artificio.

En el libro se abordan otras muchas cuestiones. Diversos poemas, reunidos bajo el epígrafe de «Consejos, coplas, apuntes», tienen un aire aforístico y enigmático. Los «Apuntes para una geografía emotiva de España» («¡Qué bien los nombres ponía / quien puso Sierra Morena / a esta serranía!») constituyen una prolongación de algunos poemas de corte popular de *Nuevas canciones*. En la línea de los sonetos metafísicos de este libro se sitúan ahora los crípticos poemas metafísicos de «Últimas lamentaciones de Abel Martín», «Muerte de Abel Martín» y «Otro clima».

A Abel Martín, para quien la poesía es la expresión de lo psíquico individual, se atribuyen además los «Recuerdos de sueño, fiebre y duermivela» (CLXXII), formados por trece partes de diferente extensión (la II tiene un solo verso) y de métrica variada, aunque predominan los versos octosílabos. En ellos, Machado, valiéndose del sueño deformado por la pesadilla y el delirio febril, mezcla de forma incoherente, deshilvanada e inverosímil, en la línea de algunas vanguardias de los años veinte, los recuerdos de Leonor con las evocaciones de la España Negra (la esperpéntica ejecución de un poeta masón), las consideraciones sobre Dios («sólo el silencio y Dios cantan sin fin») y las incursiones infernales, para las que toma de modelo a Dante, cuya presencia se reitera en esta última etapa de la obra de Machado.

Juan de Mairena será después, y de forma independiente, el autor de una importante obra en prosa, publicada en la prensa (en *Diario de Madrid* y en *El Sol*) entre el 4 de noviembre de 1934 y el 28 de junio de 1936, y recogida en este último año en el volumen *Juan de Mairena. Sentencias, donaires, apuntes y recuerdos de un profesor apócrifo.* Juan de Mairena prolongará sus reflexiones casi hasta el final de la guerra, evolucionando desde posiciones liberales y escépticas a otras más comprometidas.

Guiomar

Machado conoció a la poetisa Pilar de Valderrama (1892-1979), la «Guiomar» de sus versos, en 1928. En esa fecha, ésta, que estaba casada, ya había publicado dos libros de poemas, *Las piedras de Horeb* (1923) y *Huerto cerrado*

(1925). Después vendrían *Esencias. Poemas en prosa y verso* (1930) y *Holocausto* (1943). En toda esta producción, la autora suele expresar sus melancolías, soledades, desgracias familiares e ideas tradicionales y conservadoras. También escribió dos obras de teatro, *La vida que no se vive* (1930) y *El tercer mundo* (1934). De la relación que mantuvo con Machado habló extensamente en su libro *Sí, soy Guiomar. Memorias de mi vida* (1981).

Las primeras canciones que le dedicó Machado aparecieron en *Revista de Occidente* en septiembre de 1929. Son las que empiezan «En un jardín te he soñado», «Por ti la mar ensaya olas y espumas», «Tu poeta piensa en ti» y «Hoy te escribo en mi celda de viajero». Es el momento de plenitud, de exaltación apasionada de su «diosa», como le gusta llamarla. Después estas *Canciones* pasarán a la tercera edición de sus *Poesías completas* (1933).

La intensidad de la pasión se revela con más nitidez en sus cartas. Machado, en una de ellas, precisaba: «Toda una vida esperándote sin conocerte, porque, aunque tú pienses otra cosa, toda mi vida ha sido esperarte, imaginarte, soñar contigo». En otra, añadía: «Lleno de ti, diosa mía. Abrasado me tienes de un fuego del que tú eres inocente sin duda. En él quiero consumirme».

A veces, lo espiritual se superpone en esta correspondencia a lo carnal:

En mi corazón no hay más que un amor, el que tengo a mi diosa. Tampoco tu poeta es capaz de acompañar un amor verdadero con caprichos de la sensualidad. Esto es posible cuando el amor no tiene la intensidad que el mío, su hondura, su carácter sagrado.

Sin embargo, este nuevo amor no logra empañar el recuerdo de Leonor. Machado tranquiliza a Guiomar sobre unos celos infundados:

A ti, y a nadie más que a ti, en todos los sentidos –¡todos!– del amor, puedo yo querer. El secreto es sencillamente que yo no he tenido más amor que éste. Mis otros amores sólo han sido sueños, a través de los cuales vislumbraba yo la mujer real, la diosa. Cuando ésta llegó, todo lo demás se ha borrado. Solamente el recuerdo de mi mujer queda en mí, porque la muerte y la piedad lo han consagrado.

La relación con Guiomar lleva a Machado a elaborar una teoría del amor como recuerdo:

Cuando nos vimos, no hicimos sino recordarnos. A mí me consuela pensar esto, que es lo platónico. Esta teoría del recuerdo en el amor puede también explicar la angustia que va siempre unida al amor. Porque el amor verdadero –no lo que los hombres llaman así– empieza con una profunda amargura. Quien no ha llorado –sin motivo aparente– por una mujer no sabe nada de amor. Así, el amante, el enamorado recuerda a la amada, y llora por el largo olvido en que la tuvo antes de conocerla. Aunque te parezca absurdo, yo he llorado cuando tuve conciencia de mi amor hacia ti: por no haberte querido toda la vida.

Con esta teoría enlaza otra que el propio Machado pone en boca de su complementario Juan de Mairena, quien, comentando las ideas de su maestro Abel Martín, nos dice: «Pensaba mi maestro que el amor empieza con el recuerdo, y que mal se podía recordar lo que antes no se había olvidado». Y a continuación, para expresar poéticamente esta teoría, cita Mairena este poema de Abel Martín: «Sé que habrás de llorarme cuando muera...» (puede leerse completo en las págs. 253-254. Véase también la página 249).

La separación de Machado y Guiomar se produjo en julio de 1936, durante la guerra. A esta separación se refiere Machado en el soneto que empieza: «De mar a mar, entre los dos la guerra...» (en pág. 228). Un breve poemita de esta época revela el dolor que le provoca el recuerdo de su amada: «Tengo un olvido, Guiomar, / todo erizado de espinas: / hoja de nopal».

Poemas de la guerra

Durante la Guerra Civil, Machado, como tantos otros poetas
–Rafael Alberti, Emilio Prados, Miguel Hernández, etc.–,
puso su pluma, en prosa y en verso, al servicio de la causa
republicana. En esta época escribió nueve sonetos y una cuar-
teta, que dio a conocer en el número XVIII (junio de 1938) de
la revista *Hora de España,* y diversos poemas sueltos apareci-
dos en otras publicaciones.

Todos ellos están relacionados con los acontecimientos
que se suceden y con personajes relevantes del momento o
tienen un carácter más descriptivo y personal (en el que
empieza «La primavera ha venido...» recuerda la salida de
España de Alfonso XIII en 1931). Los desastres de la guerra, que también provoca la separación de su amada Guiomar («la guerra dio al amor el tajo fuerte»), tienen su mejor
plasmación en el emotivo poema «La muerte del niño herido». En otras ocasiones hay en ellos una exaltación de la
Rusia soviética («Voz de España») y de México, por el apo-
yo que prestaron a la España republicana. También Machado incorpora los paisajes de su nuevo lugar de residencia
(«Amanecer en Valencia», «Meditación del día»). La evo-
cación de la Sevilla infantil aviva las imprecaciones contra
los que apoyaban a la España nacional. La traición de Franco lleva a Machado a recordar al Conde don Julián, gober-
nador visigodo de Ceuta, quien, despechado porque su
hija, la Cava, había sido forzada por el rey don Rodrigo,
facilitó a principios del siglo VIII la invasión y conquista de
la Península por los árabes. En el poema en que vuelve a su
querida Soria, surge una vez más la sombra de Caín. La
vena pedagógica de Machado surge en los poemitas que
escribe para los niños que se encontraban en colonias y
guarderías. También a Machado se atribuye la letra de un
«Himno de la República española», al que puso música
Óscar Esplá.

El mejor y el más famoso de esos poemas es el que dedicó al fusilamiento de Federico García Lorca.

El poeta granadino conoció a Machado en el viaje de estudios, promovido por el catedrático de la Universidad de Granada Martín Domínguez-Berrueta, que con algunos de sus compañeros realizó a Baeza en 1916. Ante ellos leyó Machado, el día 10 de junio, composiciones suyas y de Rubén Darío. La visita se repitió al año siguiente. En esta ocasión, Machado y Lorca actuaron juntos en un acto celebrado en el Casino. El primero leyó fragmentos de «La tierra de Alvargonzález»; Lorca tocó el piano. Durante la República, Lorca recitó, en algunas de las veladas organizadas por La Barraca, «La tierra de Alvargonzález». El 12 de marzo de 1933, Machado, en una breve carta, le expresó su entusiasmo por la «magnífica tragedia» *Bodas de sangre*. Poco después confesará Lorca que la Castilla de Azorín, comparada con la de Unamuno y Machado, es «pobre, muy pobre». Después de la muerte de Lorca escribirá Machado:

Granada, pienso yo, una de las ciudades más bellas del mundo, y cuna de espíritus ilustres, es también –hay que decirlo– una de las ciudades más beocias de España, más entontecidas por el aislamiento y por la influencia de una aristocracia degradada y ociosa, y de su burguesía irremediablemente provinciana.

Machado y Lorca también firmaron manifiestos contra el fascismo (6-XI-1935) y a favor de la Unión Universal por la Paz (4-II-1936).

Sobre esta edición

Para *Nuevas canciones* y *De un cancionero apócrifo,* tomamos como base la 4.ª edición de las *Poesías completas* (abril de 1936), la última que se hizo en vida del poeta. Los *Poemas de la guerra* ya fueron recogidos en las ediciones de Aurora de Albornoz *(Poesías de guerra de Antonio Machado,* San Juan de Puerto Rico, 1961), Oreste Macrì *(Poesías completas)* y Manuel Alvar *(Poesías completas).* De los textos complementarios incluidos en el Apéndice se habla en el lugar correspondiente.

Quiero expresar aquí mi gradecimiento a Santiago Tena por el esmero con el que ha cuidado de esta edición de la poesía de Antonio Machado.

Arturo Ramoneda

Bibliografía

ALBORNOZ, Aurora de, *Poesías de guerra de Antonio Machado,* Puerto Rico, Asomante, 1961.

ALONSO, Dámaso, *Cuatro poetas españoles,* Madrid, Gredos, 1962.

–, *Poetas españoles contemporáneos,* 3.ª ed., Madrid, Gredos, 1965.

ALVAR, Manuel, edición de *Poesías completas* de Machado, Madrid, Espasa-Calpe, 1975.

BAKER, Armand, *El pensamiento religioso y filosófico de Antonio Machado,* Ayuntamiento de Sevilla, 1985.

BALTANÁS, Enrique, *Antonio Machado: nueva biografía,* Sevilla, Consejería de Cultura, 2001.

BARJAU, Eustaquio, *Antonio Machado: teoría y práctica del apócrifo,* Barcelona, Ariel, 1975.

BOUSOÑO, Carlos, *Teoría de la expresión literaria,* Madrid, Gredos, 1952.

CAMPOAMOR GONZÁLEZ, Antonio, *Antonio Machado (1875-1939),* Madrid, Ediciones Sedmay, 1976.

CANO, José Luis, *Antonio Machado. Biografía ilustrada,* Barcelona, Destino, 1975.

CEREZO GALÁN, Pedro, *Palabra en el tiempo: poesía y filosofía en Antonio Machado,* Madrid, Gredos, 1975.

CHAMORRO, José, *Antonio Machado en la provincia de Jaén*, Jaén, 1958.

COBOS, Pablo de A., *Sobre la muerte de Antonio Machado*, Madrid, Ínsula, 1972.

–, *Humor y pensamiento de Antonio Machado en sus apócrifos*, Madrid, Ínsula, 1972.

–, *Antonio Machado en Segovia. Vida y obra*, Madrid, Ínsula, 1973.

ESPINA, Concha, *Antonio Machado a su grande y secreto amor*, Madrid, Gráficas Reunidas, 1950.

GÓMEZ MOLLEDA, Dolores, *Guerra de ideas y lucha social en Antonio Machado*, Madrid, Narcea, 1977.

GONZÁLEZ, Ángel, *Antonio Machado*, Madrid, Alfaguara, 1999.

JIMÉNEZ, José Olivio, y MORALES, Carlos Javier, *Antonio Machado en la poesía española*, Madrid, Cátedra, 2002.

LUIS, Leopoldo de, *Antonio Machado. Ejemplo y lección*, Madrid, SGEL, 1975.

MACHADO, José, *Últimas soledades de Antonio Machado*, Diputación Provincial de Soria, 1971.

MACRÌ, Oreste, Antonio Machado. *Poesía y prosa*, 4 vols. Madrid, Espasa-Calpe, 1989.

MAINER, José-Carlos, Introducción a Antonio Machado, *Poesía*, Barcelona, Vicens Vives, 1995.

MORALES, Carlos Javier, véase JIMÉNEZ, José Olivio.

MOREIRO, J. M.ª, *Guiomar, un amor imposible de Machado*, Madrid, 1982.

PEDRAZA, Felipe B., y RODRÍGUEZ, Milagros, *Manual de literatura española. VIII. Generación de fin de siglo: líricos y dramaturgos*, Tafalla (Navarra), Cénlit Ediciones, 1986.

PÉREZ FERRERO, Miguel, *Vida de Antonio Machado y Manuel*, Madrid, Rialp, 1947.

RIBBANS, Geoffrey, *Niebla y Soledad: aspectos de Unamuno y Machado*, Madrid, Gredos, 1971.

RODRÍGUEZ, Milagros, véase PEDRAZA, Felipe B.

RUIZ CONDE, J., *Antonio Machado y Guiomar*, Madrid, 1964.

SÁNCHEZ BARBUDO, Antonio, *Los poemas de Antonio Macha-*

do. *Los temas. El sentimiento y la expresión,* Barcelona, Lumen, 1967.

SESÉ, Bernard, *Antonio Machado (1875-1939). El hombre. El poeta. El pensador,* 2 vols., Madrid, Gredos, 1980.

VALDERRAMA, Pilar de, *Sí, soy Guiomar. Memorias de mi vida,* Madrid, Plaza y Janés, 1981.

VALVERDE, José María, edición de *Nuevas Canciones y De un cancionero apócrifo,* Madrid, Castalia, 1971.

–, *Antonio Machado,* Madrid, Siglo XXI, 1983.

VV. AA., *Antonio Machado,* ed. de Ricardo GULLÓN y Allen W. PHILLIPS, Madrid, Taurus, 1973.

–, *Antonio Machado, hoy,* 4 vols., Sevilla, Alfar, 1990.

YNDURÁIN, Domingo, *Ideas recurrentes en Antonio Machado,* Madrid, Taurus, 1990.

ZUBIRÍA, Ramón de, *La poesía de Antonio Machado,* Madrid, Gredos, 1955.

Nuevas canciones

(Olivo del camino)

A la memoria de D. Cristóbal Torres

I

Parejo de la encina castellana
crecida sobre el páramo, señero
en los campos de Córdoba la llana
que dieron su caballo al Romancero,
lejos de tus hermanos   5
que vela el ceño campesino –enjutos
pobladores de lomas y altozanos,
horros de sombra, grávidos de frutos–,
sin caricia de mano labradora
que limpie tu ramaje, y por olvido,   10
viejo olivo, del hacha leñadora,
¡cuán bello estás junto a la fuente erguido,
bajo este azul cobalto,
como un árbol silvestre, espeso y alto!

II

Hoy, a tu sombra, quiero   15
ver estos campos de mi Andalucía,
como a la vera ayer del Alto Duero
la hermosa tierra de encinar veía.
Olivo solitario,

8. *Horros:* carentes. *Grávidos:* preñados o cargados.

20 lejos del olivar, junto a la fuente,
    olivo hospitalario
    que das tu sombra a un hombre pensativo
    y aun agua transparente,
    al borde del camino que blanquea,
25 guarde tus verdes ramas, viejo olivo,
    la diosa de ojos glaucos, Atenea.

                            III

    Busque tu rama verde el suplicante
    para el templo de un dios, árbol sombrío;
    Deméter jadeante
30 pose a tu sombra, bajo el sol de estío.

    Que reflorezca el día
    en que la diosa huyó del ancho Urano,
    cruzó la espalda de la mar bravía,
    llegó a la tierra en que madura el grano,
35 y en su querida Eleusis, fatigada,
    sentose a reposar junto al camino,
    ceñido el peplo, yerta la mirada,
    lleno de angustia el corazón divino...
    Bajo tus ramas, viejo olivo, quiero
40 un día recordar del sol de Homero.

26. *Glauco:* verde claro o verdoso. *Atenea:* diosa de la sabiduría.
32. El mar se presenta como metamorfosis de Urano, el más antiguo de los dioses, abuelo de Deméter. Fue muerto a manos de sus hijos –los uranidas–, a quienes odiaba, capitaneados por Cronos.
35. *Eleusis:* ciudad de Grecia. Deméter se convirtió aquí en aya de Demofón.
37. *Peplo:* vestidura femenina griega, amplia, suelta y sin mangas, que cubre de los hombros a la cintura.

Al palacio de un rey llegó la dea,
sólo divina en el mirar sereno,
ocultando su forma gigantea
de joven talle y de redondo seno,
trocado el manto azul por burda lana,   45
como sierva propicia a la tarea
de humilde oficio con que el pan se gana.

De Keleos la esposa venerable,
que daba al hijo en su vejez nacido,
a Demofón, un pecho miserable,   50
la reina de los bucles de ceniza,
del niño bien amado
a Deméter tomó para nodriza.
Y el niño floreció como criado
en brazos de una diosa,   55
o en las selvas feraces
–así el bastardo de Afrodita hermosa–,
al seno de las ninfas montaraces.

V

Mas siempre el ceño maternal espía,
y una noche, celando a la extranjera,   60
vio la reina una llama. En roja hoguera,
a Demofón, el príncipe lozano,
Deméter impasible revolvía,

41. *Dea:* diosa.
57. El *bastardo* es Eros (Amor), engendrado en Afrodita (Venus) por
Ares (Vulcano).

y al cuello, al torso, al vientre, con su mano
65   una sierpe de fuego le ceñía.
Del regio lecho, en la aromada alcoba,
saltó la madre; al corredor sombrío
salió gritando, aullando, como loba
herida en las entrañas: ¡hijo mío!

VI

70   Deméter la miró con faz severa.
–Tal es, raza mortal, tu cobardía.
Mi llama el fuego de los dioses era.
Y al niño, que en sus brazos sonreía:
Yo soy Deméter que los frutos grana,
75   ¡oh príncipe nutrido por mi aliento,
y en mis brazos más rojo que manzana
madurada en otoño al sol y al viento!...
Vuelve al halda materna, y tu nodriza
no olvides, Demofón, que fue una diosa;
80   ella trocó en maciza
tu floja carne y la tiñó de rosa,
y te dio el ancho torso, el brazo fuerte,
y más te quiso dar y más te diera:
con la llama que libra de la muerte,
85   la eterna juventud por compañera.

---

78. *Halda:* regazo (hueco que forma entre la cintura y las rodillas la falda de una mujer sentada).

La madre de la bella Proserpina
trocó en moreno grano,
para el sabroso pan de blanca harina,
aguas de abril y soles del verano.

Trigales y trigales ha corrido   90
la rubia diosa de la hoz dorada,
y del campo a las eras del ejido,
con sus montes de mies agavillada,
llegaron los huesudos bueyes rojos,
la testa dolorida al yugo atada,   95
y con la tarde ubérrima en los ojos.

De segados trigales y alcaceles
hizo el fuego sequizos rastrojales;
en el huerto rezuma el higo mieles,
cuelga la oronda pera en los perales,   100
hay en las vides rubios moscateles,
y racimos de rosa en los parrales
que festonan la blanca almacería
de los huertos. Ya irá de glauca a bruna,
por llano, loma, alcor y serranía,   105
de los verdes olivos la aceituna...

Tu fruto, ¡oh polvoriento del camino
árbol ahíto de la estiva llama!,

86. *Proserpina:* diosa romana de la agricultura y reina de los infiernos,
esposa de Plutón.
92. *Ejido:* campo común de todos los vecinos de un pueblo.
97. *Alcacel:* cebada verde, que se suele cortar para alimento del ganado.
103. *Almacería:* cámara alta de una casa, con acceso independiente.
104. *Bruna:* de color oscuro.
108. *Estiva:* estival.

no estrujarán las piedras del molino,
110 aguardará la fiesta, en la alta rama,
del alegre zorzal, o el estornino
lo llevará en su pico, alborozado.

Que en tu ramaje luzca, árbol sagrado,
bajo la luna llena,
115 el ojo encandilado
del búho insomne de la sabia Atena.

Y que la diosa de la hoz bruñida
y de la adusta frente
materna sed y angustia de uranida
120 traiga a tu sombra, olivo de la fuente.

Y con tus ramas la divina hoguera
encienda en un hogar del campo mío,
por donde tuerce perezoso un río
que toda la campiña hace ribera
125 antes que un pueblo, hacia la mar, navío.

---

111. *Zorzal:* pájaro de cuerpo robusto, pico largo y plumaje pardo.
Estornino: pájaro de cabeza pequeña, pico amarillo y plumaje negro.

CLIV
(Apuntes)

I

Desde mi ventana,
¡campo de Baeza,
a la luna clara!

¡Montes de Cazorla,
Aznaitín y Mágina!   5

¡De luna y de piedra
también los cachorros
de Sierra Morena!

II

Sobre el olivar,
se vio a la lechuza
volar y volar.

Campo, campo, campo.
Entre los olivos,   5
los cortijos blancos.

CLIV. En estos nueve poemillas se refiere Machado a las tierras de Jaén
y Córdoba. En ellos domina, como en algunos poemas de *Campos de
Castilla,* el estilo nominal.
I.7. *Cachorros:* puede referirse a las estribaciones menores de Sierra
Morena, al otro lado del Guadalquivir, que son como cachorros respec-
to al tamaño de su madre.

Y la encina negra,
a medio camino
de Úbeda a Baeza.

III

Por un ventanal,
entró la lechuza
en la catedral.

5   San Cristobalón
la quiso espantar,
al ver que bebía
del velón de aceite
de Santa María.

La Virgen habló:
10   –Déjala que beba,
San Cristobalón.

IV

Sobre el olivar,
se vio a la lechuza
volar y volar.

III.4. *San Cristobalón:* en muchas iglesias existe un mural gigantesco
que representa a San Cristóbal con el niño Jesús al hombro para pasar-
lo a la otra orilla de un río. Machado emplea el aumentativo con el que
el pueblo suele designar a este santo. En el romance «Preciosa y el
aire», de Lorca, el viento, transformado en San Cristobalón, se excita
ante la gitana.
7. *Velón:* lámpara de metal compuesta de un vaso con una o varias
mechas, y de un eje en que puede girar, terminado por arriba en un asa y
por debajo en un pie.

A Santa María
un ramito verde
volando traía.   5

¡Campo de Baeza,
soñaré contigo
cuando no te vea!

                        V

Dondequiera vaya,
José de Mairena
lleva su guitarra.

Su guitarra lleva,
cuando va a caballo,   5
a la bandolera.

Y lleva el caballo
con la rienda corta,
la cerviz en alto.

                        VI

¡Pardos borriquillos
de ramón cargados,
entre los olivos!

V.2. *José de Mairena:* es la primera aparición en Machado del apellido
del futuro apócrifo Juan de Mairena.
VI.2. *Ramón:* ramita con que se alimenta al ganado.

VII

¡Tus sendas de cabras
y tus madroñeras,
Córdoba serrana!

VIII

¡La del Romancero,
Córdoba la llana!...
Guadalquivir hace vega,
el campo relincha y brama.

IX

Los olivos grises,
los caminos blancos.
El sol ha sorbido
la color del campo;
5   y hasta tu recuerdo
me lo va secando
este alma de polvo
de los días malos.

VII.2. *Madroñera:* lugar con madroños. El madroño es un arbusto de
hojas persistentes y coriáceas, flores en racimos blancos o rosados y fruto esférico y granuloso, rojo por fuera y amarillo por dentro.
VIII. En dos versos del poema anterior (3-4), «Olivo del camino»,
Machado se había referido a «los campos de Córdoba la llana que dieron su caballo al Romancero». Aquí el campo mismo se transforma en
caballo.
IX.5. Machado alude probablemente a Leonor.

CLV
(Hacia tierra baja)

I

Rejas de hierro; rosas de grana.
¿A quién esperas,
con esos ojos y esas ojeras,
enjauladita como las fieras,
tras de los hierros de tu ventana?   5

Entre las rejas y los rosales,
¿sueñas amores
de bandoleros galanteadores,
fieros amores entre puñales?

Rondar tu calle nunca verás   10
ese que esperas; porque se fue
toda la España de Mérimée.

Por esta calle –tú elegirás–
pasa un notario
que va al tresillo del boticario,   15
y un usurero, a su rosario.

I.12. *Prosper Mérimée:* escritor francés (1803-1870). Su visión pintoresca de España culminó con la novelita *Carmen* (1845), origen de la ópera de Bizet de igual título. En ella, José, brigadier de dragones, se convierte en Sevilla, por amor de la gitana Carmen, en contrabandista y bandolero. Las relaciones de la joven con el picador Lucas desencadenan la tragedia.
14-15. *Tresillo:* juego de naipes para tres personas, con nueve cartas cada una, en el que gana el que hace mayor número de bazas. Este *notario* era don Pedro Gutiérrez Peña, contertulio de las reuniones en la farmacia del boticario Almazán, en Baeza.

También yo paso, viejo y tristón.
Dentro del pecho llevo un león.

II

Aunque me ves por la calle,
también yo tengo mis rejas,
mis rejas y mis rosales.

III

Un mesón de mi camino.
Con un gesto de vestal,
tú sirves el rojo vino
de una orgía de arrabal.

5 Los borrachos
de los ojos vivarachos
y la lengua fanfarrona
te requiebran ¡oh varona!

Y otros borrachos suspiran
10 por tus ojos de diamante,
tus ojos que a nadie miran.

III.2. *Vestal:* doncella consagrada al culto de la diosa Vesta, encargada
de mantener el fuego sagrado. Suele emplearse en sentido comparativo
para ponderar a una mujer.
8. *Varona:* mujer fuerte y varonil.
13. *Batea:* bandeja.

A la altura de tus senos,
la batea rebosante
llega en tus brazos morenos.

¡Oh, mujer,   15
dame también de beber!

IV

Una noche de verano.
El tren hacia el puerto va,
devorando aire marino.
Aún no se ve la mar.

★   ★   ★

Cuando lleguemos al puerto,   5
niña, verás
un abanico de nácar
que brilla sobre la mar.

★   ★   ★

A una japonesa
le dijo Sokán: 10
con la blanca luna
te abanicarás,
con la blanca luna,
a orillas del mar.

IV.10. *Sokán:* El japonés Sokán (1465-1533) fue uno de los más famo-
sos autores de haikus. El que glosa Machado fue traducido así por Antonio Cabezas García en *Jaikus inmortales* (Madrid, 1983): «Ah, si a la
luna / se le adosara un mango. ¡Qué buen pai-pai!».

Una noche de verano,
en la playa de Sanlúcar,
oí una voz que cantaba:
Antes que salga la luna...

5   Antes que salga la luna,
a la vera de la mar,
dos palabritas a solas
contigo tengo de hablar.

¡Playa de Sanlúcar,
10   noche de verano,
copla solitaria
junto al mar amargo!

¡A la orillita del agua,
por donde nadie nos vea,
15   antes que la luna salga!

CLVI
(Galerías)

I

En el azul la banda
de unos pájaros negros
que chillan, aletean y se posan
en el álamo yerto.
... En el desnudo álamo,　　　　　　　　　　5
las graves chovas quietas y en silencio,
cual negras, frías notas
escritas en la pauta de febrero.

II

El monte azul, el río, las erectas
varas cobrizas de los finos álamos,　　　　　　10
y el blanco del almendro en la colina,
¡oh nieve en flor y mariposa en árbol!
Con el aroma del habar, el viento
corre en la alegre soledad del campo.

CLVI. A diferencia de las «Galerías» de *Soledades. Galerías. Otros poemas,* Machado no mira aquí hacia dentro sino hacia fuera.
6.　*Chova:* ave parecida al cuervo.
13.　*Habar:* terreno sembrado de habas.

53

III

15   Una centella blanca
en la nube de plomo culebrea.
¡Los asombrados ojos
del niño, y juntas cejas
–está el salón oscuro– de la madre!...
20   ¡Oh cerrado balcón a la tormenta!
El viento aborrascado y el granizo
en el limpio cristal repiquetean.

IV

El iris y el balcón.
                      Las siete cuerdas
de la lira del sol vibran en sueños.
25   Un tímpano infantil da siete golpes
–agua y cristal–.
                      Acacias con jilgueros.
Cigüeñas en las torres.
                      En la plaza,
lavó la lluvia el mirto polvoriento.
En el amplio rectángulo ¿quién puso
30   ese grupo de vírgenes risueño,
y arriba ¡hosanna! entre la rota nube,
la palma de oro y el azul sereno?

IV. Machado describe el final de una tormenta, probablemente en Segovia.
23-24. Los colores del arco iris son, tradicionalmente, siete.
25. *Tímpano:* instrumento musical de percusión.

V

Entre montes de almagre y peñas grises,
el tren devora su raíl de acero.
La hilera de brillantes ventanillas   35
lleva un doble perfil de camafeo,
tras el cristal de plata, repetido...
¿Quién ha punzado el corazón del tiempo?

VI

¿Quién puso, entre las rocas de ceniza,
para la miel del sueño,   40
esas retamas de oro
y esas azules flores del romero?
La sierra de violeta
y, en el poniente, el azafrán del cielo,
¿quién ha pintado? ¡El abejar, la ermita,   45
el tajo sobre el río, el sempiterno
rodar del agua entre las hondas peñas,
y el rubio verde de los campos nuevos,
y todo, hasta la tierra blanca y rosa
al pie de los almendros!   50

33. *Almagre:* color rojizo.
36. *Camafeo:* piedra preciosa sobre la que está tallada en relieve una figura.

En el silencio sigue
la lira pitagórica vibrando,
el iris en la luz, la luz que llena
mi estereoscopio vano.
55   Han cegado mis ojos las cenizas
del fuego heraclitano.
El mundo es, un momento,
transparente, vacío, ciego, alalo.

52. El 7 y la lira tienen que ver con el interés de Machado por las doctrinas pitagóricas.
54. *Estereoscopio:* aparato óptico que permite al observador superponer dos imágenes distintas del mismo objeto dando así la impresión de relieve. Fue inventado por Wheatstone en 1838.
56. Según Heráclito, un fuego central movía el perpetuo cambio del mundo. Para Machado, ese fuego produciría también cenizas, lo abstracto, lo desvitalizado, las imágenes y conceptos al quedarse vacíos de contenido real. En *Juan de Mairena* escribirá: «"La lira pitagórica" y "el fuego heraclitano" son "las grandes metáforas" [...], útiles por su valor didáctico e inmortales por su valor poético, que los poetas pueden aprender de los filósofos».
58. *Alalo:* helenismo que significa 'incapaz de habla', 'sin voz'.

CLVII
(La luna, la sombra y el bufón)

I

Fuera, la luna platea
cúpulas, torres, tejados;
dentro, mi sombra pasea
por los muros encalados.
Con esta luna, parece   5
que hasta la sombra envejece.
    Ahorremos la serenata
de una cenestesia ingrata,
y una vejez intranquila,
y una luna de hojalata.   10
Cierra tu balcón, Lucila.

II

Se pintan panza y joroba
en la pared de mi alcoba.
Canta el bufón:
                    ¡Qué bien van,
en un rostro de cartón,   15
unas barbas de azafrán!
Lucila, cierra el balcón.

I.8. *Cenestesia:* sensación general de la existencia y estado del propio
cuerpo, resultante de la síntesis de las sensaciones de los distintos órga-
nos. No debe confundirse con *cinestesia.*

CLVIII
(Canciones de tierras altas)

I

Por la sierra blanca...
La nieve menuda
y el viento de cara.

Por entre los pinos...
con la blanca nieve
se borra el camino.

Recio viento sopla
de Urbión a Moncayo.
¡Páramos de Soria!

II

Ya habrá cigüeñas al sol,
mirando la tarde roja,
entre Moncayo y Urbión.

III

Se abrió la puerta que tiene
gonces en mi corazón,
y otra vez la galería
de mi historia apareció.

III.2. *Gonces:* goznes.

Otra vez la plazoleta   5
de las acacias en flor,
y otra vez la fuente clara
cuenta un romance de amor.

IV

Es la parda encina
y el yermo de piedra.
Cuando el sol tramonta,
el río despierta.

¡Oh montes lejanos   5
de malva y violeta!
En el aire en sombra
sólo el río suena.

¡Luna amoratada
de una tarde vieja,   10
en un campo frío,
más luna que tierra!

V

Soria de montes azules
y de yermos de violeta,
¡cuántas veces te he soñado
en esta florida vega
por donde se va,   5
entre naranjos de oro,
Guadalquivir a la mar!

IV.3. *Tramontar:* ponerse un astro, especialmente el sol, tras los montes.

VI

¡Cuántas veces me borraste,
tierra de ceniza,
estos limonares verdes
con sombras de tus encinas!
¡Oh campos de Dios,
entre Urbión el de Castilla
y Moncayo el de Aragón!

VII

En Córdoba, la serrana,
en Sevilla, marinera
y labradora, que tiene
hinchada, hacia el mar, la vela;
y en el ancho llano
por donde la arena sorbe
la baba del mar amargo,
hacia la fuente del Duero
mi corazón ¡Soria pura!
se tornaba... ¡Oh, fronteriza
entre la tierra y la luna!

¡Alta paramera
donde corre el Duero niño,
tierra donde está su tierra!

VII.7. *Baba:* materia viscosa y verde que se cría en las aguas.
12. *Paramera:* extensión de terreno en que abundan los páramos.
14. Nueva alusión a Leonor, enterrada en el cementerio de El Espino, del que se habla en la canción siguiente. En el poema que dedicó a José María Palacio en *Campos de Castilla,* Machado alude al «alto Espino donde está su tierra».

El río despierta.
En el aire oscuro,
sólo el río suena.

¡Oh, canción amarga
del agua en la piedra!   5
…Hacia el alto Espino,
bajo las estrellas.

Sólo suena el río
al fondo del valle,
bajo el alto Espino.   10

IX

En medio del campo,
tiene la ventana abierta
la ermita sin ermitaño.

Un tejadillo verdoso.
Cuatro muros blancos.   5

Lejos relumbra la piedra
del áspero Guadarrama.
Agua que brilla y no suena.

En el aire claro,
¡los alamillos del soto,   10
sin hojas, liras de marzo!

IX y X. Estas canciones ya no son un recuerdo, como las anteriores, de
Soria.
IX.11. En el poema CXIII: IX de *Campos de Castilla,* los álamos se con-
vierten en «liras del viento perfumado en primavera».

X

IRIS DE LA NOCHE

A D. Ramón del Valle-Inclán

Hacia Madrid, una noche,
va el tren por el Guadarrama.
En el cielo, el arco iris
que hacen la luna y el agua.
¡Oh luna de abril, serena,
que empuja las nubes blancas!

La madre lleva a su niño,
dormido, sobre la falda.
Duerme el niño y, todavía,
ve el campo verde que pasa,
y arbolillos soleados,
y mariposas doradas.

La madre, ceño sombrío
entre un ayer y un mañana,
ve unas ascuas mortecinas
y una hornilla con arañas.

Hay un trágico viajero,
que debe ver cosas raras,
y habla solo y, cuando mira,
nos borra con la mirada.

X.16. *Hornilla:* hornillo.

Yo pienso en campos de nieve
y en pinos de otras montañas.

Y tú, Señor, por quien todos
vemos y que ves las almas,
dinos si todos, un día,   25
hemos de verte la cara.

CLIX
(Canciones)

I

Junto a la sierra florida,
bulle el ancho mar.
El panal de mis abejas
tiene granitos de sal.

II

Junto al agua negra.
Olor de mar y jazmines.
Noche malagueña.

III

La primavera ha venido.
Nadie sabe cómo ha sido.

IV

La primavera ha venido.
¡Aleluyas blancas
de los zarzales floridos!

V

¡Luna llena, luna llena,
tan oronda, tan redonda
en esta noche serena
de marzo, panal de luz
que labran blancas abejas!   5

VI

Noche castellana;
la canción se dice,
o, mejor, se calla.
Cuando duerman todos,
saldré a la ventana.   5

VII

Canta, canta en claro rimo,
el almendro en verde rama
y el doble sauce del río.

Canta de la parda encina
la rama que el hacha corta,   5
y la flor que nadie mira.
De los perales del huerto
la blanca flor, la rosada
flor del melocotonero.

Y este olor   10
que arranca el viento mojado
a los habares en flor.

VII.3. *Doble sauce:* porque está reflejado en el agua.
12. *Habares:* terrenos sembrados de habas.

La fuente y las cuatro
acacias en flor
de la plazoleta.
Ya no quema el sol.
¡Tardecita alegre!
Canta, ruiseñor.
Es la misma hora
de mi corazón.

IX

¡Blanca hospedería,
celda de viajero,
con la sombra mía!

X

El acueducto romano
–canta una voz de mi tierra–
y el querer que nos tenemos,
chiquilla, ¡vaya firmeza!

XI

A las palabras de amor
les sienta bien su poquito
de exageración.

XII

En Santo Domingo,
la misa mayor.
Aunque me decían
hereje y masón,
rezando contigo,   5
¡cuánta devoción!

XIII

Hay fiesta en el prado verde
–pífano y tambor–.
Con su cayado florido
y abarcas de oro vino un pastor.

Del monte bajé,   5
sólo por bailar con ella;
al monte me tornaré.

En los árboles del huerto
hay un ruiseñor;
canta de noche y de día,   10
canta a la luna y al sol.
Ronco de cantar:
al huerto vendrá la niña
y una rosa cortará.

XII.1. Santo Domingo es una iglesia de Soria cercana a la casa en la que
vivió Machado con Leonor enferma.
XIII.2. *Pífano:* flautín de tono muy agudo.
4. *Abarca:* zapato rústico de cuero o de caucho.

15 Entre las negras encinas,
hay una fuente de piedra,
y un cantarillo de barro
que nunca se llena.

Por el encinar,
20 con la blanca luna,
ella volverá.

XIV

Contigo en Valonsadero,
fiesta de San Juan,
mañana en la Pampa,
del otro lado del mar.
5 Guárdame la fe,
que yo volveré.

Mañana seré pampero,
y se me irá el corazón
a orillas del alto Duero.

XV

Mientras danzáis en corro,
niñas, cantad:
Ya están los prados verdes,
ya vino abril galán.

XIV.7. *Pampero:* de la Pampa argentina.
XV. El Padre Enrique Villalba, de Valladolid, puso música a esta estrofa.

A la orilla del río,
por el negro encinar,
sus abarcas de plata
hemos visto brillar.
Ya están los prados verdes,
ya vino abril galán.

CLX
(Canciones del alto Duero)

Canción de mozas

I

Molinero es mi amante,
tiene un molino
bajo los pinos verdes,
cerca del río.
Niñas, cantad:
«Por la orilla del Duero
yo quisiera pasar».

II

Por las tierras de Soria
va mi pastor.
¡Si yo fuera una encina
sobre un alcor!
Para la siesta,
si yo fuera una encina
sombra le diera.

III

Colmenero es mi amante
y en su abejar,
abejicas de oro
vienen y van.
De tu colmena,
colmenero del alma,
yo colmenera.

IV

En las sierras de Soria,
azul y nieve,
leñador es mi amante
de pinos verdes.
¡Quién fuera el águila   5
para ver a mi dueño
cortando ramas!

V

Hortelano es mi amante,
tiene su huerto,
en la tierra de Soria,
cerca del Duero.
¡Linda hortelana!   5
Llevaré saya verde,
monjil de grana.

VI

A la orilla del Duero,
lindas peonzas,
bailad, coloraditas
como amapolas.
¡Ay, garabí!...   5
Bailad, suene la flauta
y el tamboril.

V.7. *Monjil:* tipo de corpiño con manga abierta desde el hombro.
VI.5. *Garabí:* exclamación de origen árabe que se encuentra en viejas
canciones populares.

71

CLXI
(Proverbios y cantares)

A José Ortega y Gasset

I

El ojo que ves no es
ojo porque tú lo veas;
es ojo porque te ve.

II

Para dialogar,
preguntad, primero;
después... escuchad.

III

Todo narcisismo
es un vicio feo,
y ya viejo vicio.

IV

Mas busca en tu espejo al otro,
al otro que va contigo.

III.1. *Narcisismo:* complacencia en la propia perfección física o moral.

72

Entre el vivir y el soñar
hay una tercera cosa.
Adivínala.

VI

Ese tu Narciso
ya no se ve en el espejo
porque es el espejo mismo.

VII

¿Siglo nuevo? ¿Todavía
llamea la misma fragua?
¿Corre todavía el agua
por el cauce que tenía?

VIII

Hoy es siempre todavía.

IX

Sol en Aries. Mi ventana
está abierta al aire frío.

V. La respuesta a esta adivinanza está en LIII y LXXXI.

–¡Oh rumor de agua lejana!–
La tarde despierta al río.

X

En el viejo caserío
–¡oh anchas torres con cigüeñas!–
enmudece el son gregario,
y en el campo solitario
5   suena el agua entre las peñas.

XI

Como otra vez, mi atención
está del agua cautiva;
pero del agua en la viva
roca de mi corazón.

XII

¿Sabes, cuando el agua suena,
si es agua de cumbre o valle,
de plaza, jardín o huerta?

XIII

Encuentro lo que no busco:
las hojas del toronjil
huelen a limón maduro.

XIII.2. *Toronjil*: planta labiada, con olor de limón, que se usa en medicina como antiespasmódico y estimulante gastrointestinal.

XIV

Nunca traces tu frontera,
ni cuides de tu perfil;
todo eso es cosa de fuera.

XV

Busca a tu complementario,
que marcha siempre contigo,
y suele ser tu contrario.

XVI

Si vino la primavera,
volad a las flores;
no chupéis cera.

XVII

En mi soledad
he visto cosas muy claras,
que no son verdad.

XV.1. Aparece por primera vez el término «complementario» con el
que Machado denominará a sus autores apócrifos. Cada persona sería
la suma de diversos personajes «complementarios» que, aunque diferentes, forman una unidad superior.

XVIII

Buena es el agua y la sed;
buena es la sombra y el sol;
la miel de flor de romero,
la miel de campo sin flor.

XIX

A la vera del camino
hay una fuente de piedra,
y un cantarillo de barro
–gluglu– que nadie se lleva.

XX

Adivina adivinanza,
qué quieren decir la fuente,
el cantarillo y el agua.

XXI

...Pero yo he visto beber
hasta en los charcos del suelo.
Caprichos tiene la sed...

XXII

Sólo quede un símbolo:
quod elixum est ne assato.
No aséis lo que está cocido.

XXIII

Canta, canta, canta,
junto a su tomate,
el grillo en su jaula.

XXIV

Despacito y buena letra:
el hacer las cosas bien
importa más que el hacerlas.

XXV

Sin embargo...
             ¡Ah!, sin embargo,
importa avivar los remos,
dijo el caracol al galgo.

XXII. Como en otras ocasiones, Machado advierte del peligro de los
excesos de artificialidad. En *Juan de Mairena* escribirá: "Lo natural suele ser en poesía lo bien dicho, y en general, la solución más elegante al
problema de la expresión. *Quod elixum est ne assato*, dice un proverbio
pitagórico, y alguien [Juan Ramón Jiménez], con más ambiciosa exacti-
tud, dirá algún día: «No le toques ya más, / que así es la rosa»".

XXVI

¡Ya hay hombres activos!
Soñaba la charca
con sus mosquitos.

XXVII

¡Oh calavera vacía!
¡Y pensar que todo era
dentro de ti, calavera!,
otro Pandolfo decía.

XXVIII

Cantores, dejad
palmas y jaleo
para los demás.

XXIX

Despertad, cantores:
acaben los ecos,
empiecen las voces.

XXX

Mas no busquéis disonancias;
porque, al fin, nada disuena,
siempre al son que tocan bailan.

XXVII. Machado parece recordar el epigrama dieciochesco: «La calavera de un burro / miraba el docto Pandolfo / y enternecido decía: /
"Válgame Dios, lo que somos!"».

XXXI

Luchador superfluo,
ayer lo más noble,
mañana lo más plebeyo.

XXXII

Camorrista, boxeador,
zúrratelas con el viento.

XXXIII

–Sin embargo...
                    ¡Oh!, sin embargo,
queda un fetiche que aguarda
ofrenda de puñetazos.

XXXIV

O rinnovarsi o perire...
No me suena bien.
Navigare è necessario...
Mejor: ¡vivir para ver!

XXXIV. *O rinnovarsi o perire; navigare è necessario:* esta última frase,
aunque se cita en italiano, tiene su origen en la expresión latina que Plu-
tarco atribuye al romano Pompeyo: «navigare necesse est, vivere non est
necesse» ('Navegar es necesario, vivir no lo es'). Fue dirigida a unos
marineros que se negaban a zarpar durante una tempestad. En la Baja
Edad Media fue tomada como lema por la Liga Hanseática. Estos dos
lemas fueron empleados por el escritor italiano D'Annunzio.

XXXV

Ya maduró un nuevo cero,
que tendrá su devoción:
un ente de acción tan huero
como un ente de razón.

XXXVI

No es el yo fundamental
eso que busca el poeta,
sino el tú esencial.

XXXVII

Viejo como el mundo es
–dijo un doctor–, olvidado,
por sabido, y enterrado
cual la momia de Ramsés.

XXXVIII

Mas el doctor no sabía
que hoy es siempre todavía.

XXXVII.4. De los faraones egipcios de este nombre, el más famoso fue
Ramsés II.

Busca en tu prójimo espejo;
pero no para afeitarte,
ni para teñirte el pelo.

Los ojos por que suspiras,
sábelo bien,
los ojos en que te miras
son ojos porque te ven.

–Ya se oyen palabras viejas.
–Pues, aguzad las orejas.

Enseña el Cristo: a tu prójimo
amarás como a ti mismo,
mas nunca olvides que es otro.

XL. Nueva versión, con sentido amoroso, de I.
XLII. El tema de la otredad aparece aquí en relación con el precepto
evangélico.

XLIII

Dijo otra verdad:
busca el tú que nunca es tuyo
ni puede serlo jamás.

XLIV

No desdeñéis la palabra;
el mundo es ruidoso y mudo,
poetas, sólo Dios habla.

XLV

¿Todo para los demás?
Mancebo, llena tu jarro,
que ya te lo beberán.

XLVI

Se miente más de la cuenta
por falta de fantasía:
también la verdad se inventa.

XLVII

Autores, la escena acaba
con un dogma de teatro:
En el principio era la máscara.

XLVIII

Será el peor de los malos
bribón que olvide
su vocación de diablo.

XLIX

¿Dijiste media verdad?
Dirán que mientes dos veces
si dices la otra mitad.

L

Con el tú de mi canción
no te aludo, compañero;
ese tú soy yo.

LI

Demos tiempo al tiempo:
para que el vaso rebose
hay que llenarlo primero.

LII

Hora de mi corazón:
la hora de una esperanza
y una desesperación.

LIII

Tras el vivir y el soñar,
está lo que más importa:
despertar.

LIV

Le tiembla al cantar la voz.
Ya no le silban sus coplas;
que silban su corazón.

LV

Ya hubo quien pensó:
cogito ergo non sum.
¡Qué exageración!

LVI

Conversación de gitanos:
–¿Cómo vamos, compadrito?
–Dando vueltas al atajo.

LV. Machado modifica la famosa expresión de Descartes «Cogito ergo
sum» ('Pienso, luego existo'), opuesta al idealismo. La negación se debe
probablemente a la inseguridad que siente ante la veracidad de lo que
pensamos.

LVII

Algunos desesperados
sólo se curan con soga;
otros, con siete palabras:
la fe se ha puesto de moda.

LVIII

Creí mi hogar apagado,
y revolví la ceniza...
Me quemé la mano.

LIX

¡Reventó de risa!
¡Un hombre tan serio!
... Nadie lo diría.

LX

Que se divida el trabajo:
los malos unten la flecha;
los buenos tiendan el arco.

LXI

Como don San Tob,
se tiñe las canas,
y con más razón.

LXI. Don Sem Tob, poeta judeo-castellano, en sus *Proverbios morales* (núms. 45-46), que dedicó al rey Pedro I de Cruel, dice: «Las mis canas

LXII

Por dar al viento trabajo,
cosía con hilo doble
las hojas secas del árbol.

LXIII

Sentía los cuatro vientos,
en la encrucijada
de su pensamiento.

LXIV

¿Conoces los invisibles
hiladores de los sueños?
Son dos: la verde esperanza
y el torvo miedo.

5   Apuesta tienen de quién
hile más y más ligero,
ella, su copo dorado;
él, su copo negro.

    Con el hilo que nos dan
10   tejemos, cuando tejemos.

teñilas / non por las aborresçer; / nin por desdecirlas / nin mancebo
parecer. // Mas con miedo sobejo / de omes que buscarían / en mi seso
de viejo / e non lo fallarían».

Siembra la malva:
pero no la comas,
dijo Pitágoras.

Responde al hachazo
–ha dicho el Buda ¡y el Cristo!–   5
con tu aroma, como el sándalo.

Bueno es recordar
las palabras viejas
que han de volver a sonar.

LXVI

Poned atención:
un corazón solitario
no es un corazón.

LXVII

Abejas, cantores,
no a la miel, sino a las flores.

LXV. Forma parte de los misteriosos preceptos pitagóricos.
LXVI. En *De un cancionero apócrifo*, Meneses dirá a Mairena: «No hay
sentimiento verdadero sin simpatía, el nuevo *pathos* no ejerce función
cordial alguna, ni tampoco estética. Un corazón solitario –ha dicho no
sé quién, acaso Pero Grullo–, no es un corazón; porque nadie siente si
no es capaz de sentirse con otro, con otros…, ¿por qué no con todos?».

LXVIII

Todo necio
confunde valor y precio.

LXIX

Lo ha visto pasar en sueños...
Buen cazador de sí mismo,
siempre en acecho.

LXX

Cazó a su hombre malo,
el de los días azules,
siempre cabizbajo.

LXXI

Da doble luz a tu verso,
para leído de frente
y al sesgo.

LXXII

Mas no te importe si rueda
y pasa de mano en mano:
del oro se hace moneda.

LXXIII

De un «Arte de Bien Comer»,
primera lección:
No has de coger la cuchara
con el tenedor.

LXXIV

Señor San Jerónimo,
suelte usted la piedra
con que se machaca.
Me pegó con ella.

LXXV

Conversación de gitanos:
–Para rodear,
toma la calle de en medio;
nunca llegarás.

LXXVI

El tono lo da la lengua,
ni más alto ni más bajo;
sólo acompáñate de ella.

LXXIV. San Jerónimo (347-420), padre y doctor de la Iglesia, dedicó su vida a hacer penitencia. Tradujo el Antiguo Testamento al latín.
LXXVI. Esta defensa de la naturalidad se reitera en *Juan de Mairena*: «Si dais en escritores, sed meros taquígrafos de un pensamiento hablado».

LXXVII

¡Tartarín en Koenigsberg!
Con el puño en la mejilla,
todo lo llegó a saber.

LXXVIII

Crisolad oro en copela,
y burilad lira y arco
no en joya, sino en moneda.

LXXIX

Del romance castellano
no busques la sal castiza;
mejor que romance viejo,
poeta, cantar de niñas.

5   Déjale lo que no puedes
quitarle: su melodía
de cantar que canta y cuenta
un ayer que es todavía.

LXXVII. El protagonista de *Tartarín de Tarascón* (1872), novela de
Alphonse Daudet, es modelo de cazador y viajero arrogante y fanta-
sioso. Machado une su nombre al de Koenigsberg, lugar de naci-
miento y de residencia de Kant, quien fue capaz, como Tartarín en
sus cacerías imaginarias, de forjar un sistema filosófico sin necesidad de viajar.
LXXVIII. *Crisolar*: depurar, purificar en el crisol por medio del fuego,
el oro y otros metales. *Copela*: vaso refractario donde se realiza la ope-
ración. *Burilar*: grabar el metal con un punzón de acero.

Concepto mondo y lirondo
suele ser cáscara hueca;
puede ser caldera al rojo.

LXXXI

Si vivir es bueno
es mejor soñar,
y mejor que todo,
madre, despertar.

LXXXII

No el sol, sino la campana,
cuando te despierta, es
lo mejor de la mañana.

LXXXIII

¡Qué gracia! En la Hesperia triste,
promontorio occidental,
en este cansino rabo
de Europa, por desollar,

LXXXIII. 10-12. Machado se refiere al final de la Primera Guerra
Mundial. Guillermo II, emperador de Alemania desde 1888, fue desti-
tuido en 1918 debido a los fracasos militares de su país. Nicolás II, zar
de Rusia desde 1894, abdicó en 1917. Al año siguiente fue fusilado, junto con su familia, por el gobierno de los sóviets.

y en una ciudad antigua,
chiquita como un dedal,
¡el hombrecillo que fuma
y piensa, y ríe al pensar:
cayeron las altas torres;
en un basurero están
la corona de Guillermo,
la testa de Nicolás!

Baeza, 1919

LXXXIV

Entre las brevas soy blando;
entre las rocas, de piedra.
¡Malo!

LXXXV

¿Tu verdad? No, la Verdad,
y ven conmigo a buscarla.
La tuya, guárdatela.

LXXXVI

Tengo a mis amigos
en mi soledad;
cuando estoy con ellos
¡qué lejos están!

LXXXV.3. Para mantener la rima con «verdad», habría que leer «guardatelá».

LXXXVII

¡Oh Guadalquivir!
Te vi en Cazorla nacer;
hoy, en Sanlúcar morir.

Un borbollón de agua clara,
debajo de un pino verde,   5
eres tú, ¡qué bien sonabas!

Como yo, cerca del mar,
río de barro salobre,
¿sueñas con tu manantial?

LXXXVIII

El pensamiento barroco
pinta virutas de fuego,
hincha y complica el decoro.

LXXXIX

Sin embargo...
                    –Oh, sin embargo,
hay siempre un ascua de veras
en su incendio de teatro.

XC

¿Ya de su olor se avergüenzan
las hojas de la albahaca,
salvias y alhucemas?

XC.3. *Salvia:* planta de flores azuladas usada para infusiones. La *alhu-cema* es una planta aromática de talle leñoso empleada en perfumería.

Siempre en alto, siempre en alto.
¿Renovación? Desde arriba.
Dijo la cucaña al árbol.

XCII

Dijo el árbol: teme al hacha,
palo clavado en el suelo:
contigo la poda es tala.

XCIII

¿Cuál es la verdad? ¿El río
que fluye y pasa
donde el barco y el barquero
son también ondas del agua?
5   ¿O este soñar del marino
siempre con ribera y ancla?

XCIV

Doy consejo, a fuer de viejo:
nunca sigas mi consejo.

XCI.3. *Cucaña*: palo largo, impregnado de una sustancia resbaladiza
con un premio en su extremo para el que consigue llegar arriba.

XCV

Pero tampoco es razón
desdeñar
consejo que es confesión.

XCVI

¿Ya sientes la savia nueva?
Cuida, arbolillo,
que nadie lo sepa.

XCVII

Cuida de que no se entere
la cucaña seca
de tus ojos verdes.

XCVIII

Tu profecía, poeta.
—Mañana hablarán los mudos:
el corazón y la piedra.

XCIX

—¿Mas el arte?...
                        —Es puro juego,
que es igual a pura vida,
que es igual a puro fuego.
Veréis el ascua encendida.

(Parergon)

*Al gigante ibérico, Miguel de Unamuno,
por quien la España actual alcanza
proceridad en el mundo.*

LOS OJOS

I

Cuando murió su amada
pensó en hacerse viejo
en la mansión cerrada,
solo, con su memoria y el espejo
donde ella se miraba un claro día.
Como el oro en el arca del avaro,
pensó que guardaría
todo un ayer en el espejo claro.
Ya el tiempo para él no correría.

II

Mas pasado el primer aniversario,
¿cómo eran –preguntó–, pardos o negros,
sus ojos? ¿Glaucos?... ¿Grises?
¿Cómo eran, ¡Santo Dios!, que no recuerdo?...

Parergon: en griego, 'obra adicional'. En este caso, 'comentario adicional'.
II. 3. *Glaucos:* verde claro o verdoso.

Salió a la calle un día
de primavera, y paseó en silencio
su doble luto, el corazón cerrado...
De una ventana en el sombrío hueco
vio unos ojos brillar. Bajó los suyos
y siguió su camino... ¡Como ésos!

15

(El viaje)

–Niña, me voy a la mar.
–Si no me llevas contigo,
te olvidaré, capitán.

En el puente de su barco
5   quedó el capitán dormido;
durmió soñando con ella:
¡si no me llevas contigo!...

Cuando volvió de la mar
trajo un papagayo verde.
10   ¡Te olvidaré, capitán!

Y otra vez la mar cruzó
con su papagayo verde.
¡Capitán, ya te olvidó!

(Glosando a Ronsard y otras rimas)

[I]

*Un poeta manda su retrato a una bella
dama, que le había enviado el suyo.*

I

Cuando veáis esta sumida boca
que ya la sed no inquieta, la mirada
tan desvalida (su mitad, guardada
en viejo estuche, es de cristal de roca),

la barba que platea, y el estrago   5
del tiempo en la mejilla, hermosa dama,
diréis: ¿a qué volver sombra por llama,
negra moneda de joyel en pago?

¿Y qué esperáis de mí? Cuando a deshora,
pasa un alba, yo sé que bien quisiera   10
el corazón su flecha más certera

arrancar de la aljaba vengadora.
¿No es mejor saludar la primavera,
y devolver sus alas a la aurora?

I.1. *Sumida:* hundida.
I.3. *Su mitad:* las gafas.
12. *Aljaba:* recipiente alargado, abierto por arriba, que se cuelga de un
hombro y sirve para llevar las flechas del arco.

II

Como fruta arrugada, ayer madura,
o como mustia rama, ayer florida,
y aun menos, en el árbol de mi vida,
es la imagen que os lleva esa pintura.

5
Porque el árbol ahonda en tierra dura,
en roca tiene su raíz prendida,
y si al labio no da fruta sabrida,
aún quiere dar al sol la que perdura.

Ni vos gritéis desilusión, señora,
10
negando al día ese carmín risueño,
ni a la manera usada, en el ahora
pongáis, cual negra tacha, el turbio ceño.
Tomad arco y aljaba –¡oh cazadora!–
que ya es el alba: despertar del sueño.

III

Pero si os place amar vuestro poeta,
que vive en la canción, no en el retrato,
¿no encontraréis en su perfil beato
conjuro de esa fúnebre careta?

5
Buscad del hondo cauce agua secreta,
del campanil que enronqueció a rebato
la víspera dormida, el timorato
pensado amor en hora recoleta.

II.7.   *Sabrida:* sabrosa.
III.1. «Amar vuestro poeta»: falta la preposición «a» después de «amar».
6. *Campanil:* campanario. *A rebato:* llamada precipitada a los habitan-
tes de un lugar para advertirles de un peligro inminente.

Desdeñad lo que soy; de lo que he sido
trazad con firme mano la figura: 10
galán de amor soñado, amor fingido,
    por anhelo inventor de la aventura.
Y en vuestro sabio espejo –luz y olvido–
algo seré también vuestra criatura.

[II]

ESTO SOÑÉ

Que el caminante es suma del camino,
y en el jardín, junto del mar sereno,
le acompaña el aroma montesino,
ardor de seco henil en campo ameno;
    que de luenga jornada peregrino   5
ponía al corazón un duro freno,
para aguardar el verso adamantino
que maduraba el alma en su hondo seno.
    Esto soñé. Y del tiempo, el homicida,
que nos lleva a la muerte o fluye en vano,   10
que era un sueño no más del adanida.
    Y un hombre vi que en la desnuda mano
mostraba al mundo el ascua de la vida,
sin cenizas el fuego heraclitano.

[II] 1. El verso recuerda otro famoso poema de Machado, de *Campos de Castilla*: «Caminante, son tus huellas el camino y nada más...».
4. *Henil*: lugar donde se guarda el heno.
7. *Adamantino*: propio del diamante.
11. *Adanida*: hijo de Adán; en general, hombre. Rubén Darío lo empleó en «La canción de los osos».

[III]
EL AMOR Y LA SIERRA

Cabalgaba por agria serranía,
una tarde, entre roca cenicienta.
El plomizo balón de la tormenta
de monte en monte rebotar se oía.

5   Súbito, al vivo resplandor del rayo,
se encabritó, bajo de un alto pino,
al borde de una peña, su caballo.
A dura rienda le tornó al camino.

    Y hubo visto la nube desgarrada,
10   y, dentro, la afilada crestería
de otra sierra más lueñe y levantada

    –relámpago de piedra parecía–.
¿Y vio el rostro de Dios? Vio el de su amada.
Gritó: ¡Morir en esta sierra fría!

[IV]
PÍO BAROJA

En Londres o Madrid, Ginebra o Roma,
ha sorprendido, ingenuo paseante,
el mismo *taedium vitae* en vario idioma,
en múltiple careta igual semblante.

5   Atrás las manos enlazadas lleva,
y hacia la tierra, al pasear, se inclina;
todo el mundo a su paso es senda nueva,
camino por desmonte o por ruina.

[III] 11. *Lueñe:* lejano o distante.

Dio, aunque tardío, el siglo diecinueve
un ascua de su fuego al gran Baroja,   10
y otro siglo, al nacer, guerra le mueve,
    que enceniza su cara pelirroja.
De la rosa romántica, en la nieve,
él ha visto caer la última hoja.

[V]

AZORÍN

La roja tierra del trigal de fuego,
y del habar florido la fragancia,
y el lindo cáliz de azafrán manchego
amó, sin mengua de la lis de Francia.
    ¿Cuya es la doble faz, candor y hastío,   5
y la trémula voz y el gesto llano,
y esa noble apariencia de hombre frío
que corrige la fiebre de la mano?
    No le pongáis, al fondo, la espesura
de aborrascado monte o selva huraña,   10
sino, en la luz de una mañana pura,
    lueñe espuma de piedra, la montaña,
y el diminuto pueblo en la llanura,
¡la aguda torre en el azul de España!

[IV] 12. *Encenizar:* cubrir de ceniza.
[V] Machado ya había dedicado dos homenajes a Azorín con motivo
del libro *Castilla* (CXVII y CXLIII).
2. *Habar:* terreno sembrado de habas.

RAMÓN PÉREZ DE AYALA

Lo recuerdo... Un pintor me lo retrata,
no en el lino, en el tiempo. Rostro enjuto,
sobre el rojo manchón de la corbata,
bajo el amplio sombrero; resoluto

5   el ademán, y el gesto petulante
–un si es no es– de mayorazgo en corte;
de bachelor en Oxford, o estudiante
en Salamanca, señoril el porte.

    Gran poeta, el pacífico sendero
10   cantó que lleva a la asturiana aldea;
el mar polisonoro y sol de Homero

    le dieron ancho ritmo, clara idea;
su innúmero camino el mar ibero,
su propio navegar, propia Odisea.

[VII]
EN LA FIESTA DE GRANDMONTAGNE

Leído en el Mesón del Segoviano

I

Cuenta la historia que un día,
buscando mejor España,
Grandmontagne se partía

[VI] 2. *Lino:* lienzo.
9. Se refiere a sus libros de poemas *La paz del sendero* (1903) y *El sendero innumerable* (1916).
[VII] Francisco Grandmontagne (1866-1936) emigró cuando era muy joven a la Argentina, donde se dedicó al periodismo. Después, en Espa-

de una tierra de montaña,
de una tierra   5
de agria sierra.
¿Cuál? No sé. ¿La serranía
de Burgos? ¿El Pirineo?
¿Urbión donde el Duero nace?
Averiguadlo. Yo veo   10
un prado en que el negro toro
reposa, y la oveja pace
entre ginestas de oro;
y unos altos, verdes pinos;
más arriba, peña y peña,   15
y un rubio mozo que sueña
con caminos,
en el aire, de cigüeña,
entre montes, de merinos,
con rebaños trashumantes   20
y vapores de emigrantes
a pueblos ultramarinos.

                        II

Grandmontagne saludaba
a los suyos, en la popa
de un barco que se alejaba   25
del triste rabo de Europa.
Tras de mucho devorar

ña, continuó con sus actividades literarias. Machado escribió este poema con motivo de un homenaje que le tributaron varios escritores en el
madrileño Mesón del Segoviano en 1921.
[VII] I.13. *Ginesta:* retama (planta).

caminos del mar profundo,
vio las estrellas brillar
30 sobre la panza del mundo.

Arribado a un ancho estuario,
dio en la argentina Babel.
Él llevaba un diccionario
y siempre leía en él:
35 era su devocionario.

Y en la ciudad –no en el hampa–
y en la Pampa
hizo su propia conquista.
El cronista
40 de dos mundos, bajo el sol,
el duro pan se ganaba
y, de noche, fabricaba
su magnífico español.

La faena trabajosa,
45 y la mar y la llanura,
caminata o singladura,
siempre larga,
diéronle, para su prosa,
viento recio, sal amarga,
50 y la amplia línea armoniosa
del horizonte lejano.

Llevó del monte dureza,
calma le dio el oceano
y grandeza;
55 y de un pueblo americano
donde florece la hombría
nos trae la fe y la alegría
que ha perdido el castellano.

III

En este remolino de España, rompeolas
de las cuarenta y nueve provincias españolas   60
(Madrid del cucañista, Madrid del pretendiente)
y en un mesón antiguo, y entre la poca gente
–¡tan poca!– sin librea, que sufre y que trabaja,
y aún corta solamente su pan con su navaja,
por Grandmontagne alcemos la copa. Al suelo indiano,   65
ungido de las letras embajador hispano,
«*ayant pour tout laquais votre ombre seulement*»
os vais, buen caballero... Que Dios os dé su mano,
que el mar y el cielo os sean propicios, capitán.

[VIII]
A Don Ramón del Valle-Inclán

Yo era en mis sueños, Don Ramón, viajero
del áspero camino, y tú, Caronte
de ojos de llama, el fúnebre barquero
de las revueltas aguas de Aqueronte.

    Plúrima barba al pecho te caía.   5
(Yo quise ver tu manquedad en vano.)
Sobre la negra barca aparecía

67. El verso está tomado de la fábula de Lafontaine «L'avantage de la science».

[VIII] Este soneto en endecasílabos fue escrito con motivo del homenaje a Valle-Inclán el 1 de abril de 1922 en el restaurante Fornos de Madrid, al que Machado no pudo asistir.

2. *Caronte:* en la mitología griega, barquero que conducía las almas de los muertos al otro lado de la laguna Estigia y del río Aqueronte. En «Recuerdos de fiebre, sueño y duermivela» escribirá: «¿Tú eras Caronte, el fúnebre barquero?».

5. *Plúrima:* poblada, abundante. Rubén Darío, en el soneto que dedicó a Valle-Inclán en *El canto errante,* se refirió a sus «barbas de chivo».

tu verde senectud de dios pagano.

Habla, dijiste, y yo: cantar quisiera
10   loor de tu Don Juan y tu paisaje,
en esta hora de verdad sincera.

Porque faltó mi voz en tu homenaje,
permite que en la pálida ribera
te pague en áureo verso mi barcaje.

[IX]
AL ESCULTOR EMILIANO BARRAL

... Y tu cincel me esculpía
en una piedra rosada,
que lleva una aurora fría
eternamente encantada.
5   Y la agria melancolía
de una soñada grandeza,
que es lo español (fantasía
con que adobar la pereza),
fue surgiendo de esa roca,
10   que es mi espejo,
línea a línea, plano a plano,
y mi boca de sed poca,
y, so el arco de mi cejo,
dos ojos de un ver lejano,

10. Don Juan debe ser aquí el marqués de Bradomín, protagonista de
las *Sonatas* de Valle-Inclán.
[IX] Emiliano Barral fue un notable escultor de figuras de animales y
realizó el mauseoleo de Pablo Iglesias en el Cementerio Civil de Madrid.
El busto de piedra que hizo Barral de Machado se conserva en Segovia.
En 1936 dedicó Machado a Barral, «capitán de las milicias de Segovia»
que murió luchando en la guerra, una nota de homenaje y reprodujo
este poema, fechado en Madrid, en 1922.

que yo quisiera tener   15
como están en tu escultura:
cavados en piedra dura,
en piedra, para no ver.

[X]
A JULIO CASTRO

Desde las altas tierras donde nace
un largo río de la triste Iberia,
del ancho promontorio de Occidente
–vasta lira, hacia el mar, de sol y piedra–,
con el milagro de tu verso, he visto   5
mi infancia marinera,
que yo también, de niño, ser quería
pastor de olas, capitán de estrellas.
Tú vives, yo soñaba;
pero a los dos, hermano, el mar nos tienta.   10
En cada verso tuyo
hay un golpe de mar, que me despierta
a sueños de otros días,
con regalo de conchas y de perlas.
Estrofa tienes como vela hinchada   15
de viento y luz, y copla donde suena
la caracola de un tritón, y el agua
que le brota al delfín en la cabeza.
¡Roncas sirenas en la bruma! ¡Faros
de puerto que en la noche parpadean!   20

[X] Este poema, que se incluyó por vez primera en las *Poesías completas* de 1936, se publicó en 1932 con el título de «Envío. A Julio Castro, para su libro *La voz apasionada*», y el lema «Siento fuertemente / la llamada del mar».

¡Trajín de muelle, y algo más! Tu libro
dice lo que la mar nunca revela:
la historia de riberas florecidas
que cuenta el río al anegarse en ella.
25 De buen marino, ¡oh Julio!
–no de marino en tierra,
sino a bordo–, bitácora es tu verso
donde sonríe el norte a la tormenta.

  Dios a tu copla y a tu barco guarde
30 seguro el ritmo, firmes las cuadernas,
y que del mar y del olvido triunfen,
poeta y capitán, nave y poema.

[XI]
En tren

FLOR DE VERBASCO

*A los jóvenes poetas que me honraron
con su visita en Segovia.*

  Sanatorio del alto Guadarrama,
más allá de la roca cenicienta
donde el chivo barbudo se encarama,
mansión de noche larga y fiebre lenta,
5 –¿guardas mullida cama,
bajo seguro techo,
donde repose el huésped dolorido

---

27. *Bitácora:* cuaderno en que se apuntan el rumbo, la velocidad y
demás circunstancias de la navegación.
30. *Cuaderna:* en un barco, pieza de las que simétricamente suben desde la quilla a una y otra banda, formando el esqueleto del casco.

del labio exangüe y el angosto pecho,
amplio balcón al campo florecido?
¡Hospital de la sierra!...

                El tren, ligero, 10
rodea el monte y el pinar; emboca
por un desfiladero,
ya pasa al borde de tajada roca,
ya enarca, enhila o su convoy ajusta
al serpear de su carril de acero. 15
Por donde el tren avanza, sierra augusta,
yo te sé peña a peña y rama a rama;
conozco el agrio olor de tu romero,
vi la amarilla flor de tu retama;
los cantuesos morados, los jarales 20
blancos de primavera; muchos soles
incendiar tus desnudos berrocales,
reverberar en tus macizas moles.
Mas hoy, mientras camina
el tren, en el saber de tus pastores 25
pienso no más y –perdonad, doctores–
rememoro la vieja medicina.
¿Ya no se cuecen flores de verbasco?
¿No hay milagros de hierba montesina?
¿No brota el agua santa del peñasco? 30

                ★ ★ ★

Hospital de la sierra, en tus mañanas
de auroras sin campanas,

[XI] 20. *Cantueso:* planta perenne con flores moradas en espiga. *Jaral:*
lugar poblado de jaras.
22. *Berrocal:* sitio lleno de berruecos (peñascos elevados de granito).
28. *Verbasco:* planta medicinal.

111

cuando la niebla va por los barrancos
o, desgarrada en el azul, enreda
35   sus guedejones blancos
en los picos de la áspera roqueda;
cuando el doctor –sienes de plata– advierte
los gráficos del muro y examina
los diminutos pasos de la muerte,
40   del áureo microscopio en la platina,
oirán en tus alcobas ordenadas,
orejas bien sutiles,
hundidas en las tibias almohadas,
el trajinar de estos ferrocarriles.

              ....

45   Lejos, Madrid se otea.
Y la locomotora
resuella, silba, humea
y su riel metálico devora,
ya sobre el ancho campo que verdea.
50   Mariposa montés, negra y dorada,
al azul de la abierta ventanilla
ha asomado un momento, y remozada,
una encina, de flor verdiamarilla...
Y pasan chopo y chopo en larga hilera,
55   los almendros del huerto junto al río...
Lejos quedó la amarga primavera
de la alta casa en Guadarrama frío.

---

35. *Guedejón:* mechón de pelo largo.
40. *Platina:* pieza plana que generalmente sirve de soporte.

Bodas de Francisco Romero

Porque leídas fueron
las palabras de Pablo,
y en este claro día
hay ciruelos en flor y almendros rosados
y torres con cigüeñas,   5
y es aprendiz de ruiseñor todo pájaro,
y porque son las bodas de Francisco Romero,
cantad conmigo: ¡*Gaudeamus!*
Ya el ceño de la turbia soltería
se borrará en dos frentes ¡*fortunati ambo!*   10
De hoy más sabréis, esposos,
cuánto la sed apaga el limpio jarro,
y cuánto lienzo cabe
dentro de un cofre, y cuántos
son minutos de paz, si el ahora vierte   15
su eternidad menuda grano a grano.
Fundación del querer vuestros amores
–nunca olvidéis la hipérbole del vándalo–
y un mundo cada día, pan moreno
sobre manteles blancos.   20
De hoy más la tierra sea
vega florida a vuestro doble paso.

[XII] 2. Se refiere a la Epístola de san Pablo que formaba parte del ritual matrimonial.
8. ¡*Gaudeamus!*: '¡Alegrémonos!'.
10. ¡*Fortunati ambo!*: 'Afortunados los dos'.
17-18. Se refiere a la copla andaluza («del vándalo») que cita Machado en *Juan de Mairena:* «Si usted me quisiera a mí / como yo la quiero a usted / nos llamaran a los dos / la fundación del querer».

[XIII]
SOLEDADES A UN MAESTRO

I

No es profesor de energía
Francisco de Icaza,
sino de melancolía.

II

De su raza vieja
tiene la palabra corta,
honda la sentencia.

III

Como el olivar,
mucho fruto lleva,
poca sombra da.

IV

En su claro verso
se canta y medita
sin grito ni ceño.

[XIII] Francisco A. de Icaza (México, 1863-Madrid, 1925) fue un diplo-
mático mexicano, poeta y traductor de aforismos de Nietzsche que
pudieron influir en los proverbios machadianos de *Nuevas canciones*.
I.1. Profesor de energía: alude a Nietzsche. En la «Oda a Roosevelt» escribió
Rubén Darío: «Eres un profesor de Energía / como dicen los locos de hoy».

Y en perfecto rimo
–así a la vera del agua
el doble chopo del río–.

VI

Sus cantares llevan
agua de remanso,
que parece quieta.
Y que no lo está;
mas no tiene prisa   5
por ir a la mar.

VII

Tienen sus canciones
aromas y acíbar
de viejos amores.
Y del indio sol
madurez de fruta   5
de rico sabor.

VIII

Francisco de Icaza,
de la España vieja
y de Nueva España,

VII. 2. *Acíbar*: jugo de las hojas del áloe, de sabor amargo.

que en áureo centén
5   se graben tu lira
y tu perfil de virrey.

[XIV]

A EUGENIO D'ORS

Un amor que conversa y que razona,
sabio y antiguo –diálogo y presencia–,
nos trajo de su ilustre Barcelona;
y otro, distancia y horizonte: ausencia,
5   que es alma, a nuestro modo, le ofrecimos.
Y él aceptó la oferta, porque sabe
cuánto de lejos cerca le tuvimos,
y cuánto exilio en la presencia cabe.
Hoy, Xenius, hacia ti, viejo milano
10   las anchas alas en el aire ha abierto,
y una mata de espliego castellano
lleva en el pico a tu jardín diserto
–mirto y laureles– desde el alto llano
en donde el viento cimbra el chopo yerto.

Ávila, 1921

VIII.4. *Centén:* moneda española de oro equivalente a cien reales de vellón.
[XIV] Eugenio d'Ors (1882-1954) utilizó los seudónimos de Octavi de
Romeu y Xènius. Publicó relatos y ensayos sobre arte. Para él, en la historia de las formas artísticas sólo hay tradición o copia de ella («todo lo
que no es tradición es plagio»). Sus *Glosas,* con las que comentaba en la
prensa asuntos literarios, artísticos o políticos, pudieron constituir para
Machado un estímulo para las prosas de *Juan de Mairena.*
12. *Diserto:* elocuente.

[XV]
Los sueños dialogados

I

¡Cómo en el alto llano tu figura
se me aparece!... Mi palabra evoca
el prado verde y la árida llanura,
la zarza en flor, la cenicienta roca.

Y al recuerdo obediente, negra encina   5
brota en el cerro, baja el chopo al río;
el pastor va subiendo a la colina;
brilla un balcón de la ciudad: el mío,

el nuestro. ¿Ves? Hacia Aragón, lejana,
la sierra de Moncayo, blanca y rosa...   10
Mira el incendio de esa nube grana,

y aquella estrella en el azul, esposa.
Tras el Duero, la loma de Santana
se amorata en la tarde silenciosa.

II

¿Por qué, decisme, hacia los altos llanos,
huye mi corazón de esta ribera,
y en tierra labradora y marinera
suspiro por los yermos castellanos?

Nadie elige su amor. Llevome un día   5
mi destino a los grises calvijares
donde ahuyenta al caer la nieve fría

[XV] II.1. *Decisme:* 'me decís'.
6. *Calvijares:* zonas de bosques desprovistas de árboles.

117

las sombras de los muertos encinares.

    De aquel trozo de España, alto y roquero,
10 hoy traigo a ti, Guadalquivir florido,
una mata del áspero romero.

    Mi corazón está donde ha nacido,
no a la vida, al amor, cerca del Duero...
¡El muro blanco y el ciprés erguido!

III

    Las ascuas de un crepúsculo, señora,
rota la parda nube de tormenta,
han pintado en la roca cenicienta
de lueñe cerro un resplandor de aurora.

5   Una aurora cuajada en roca fría
que es asombro y pavor del caminante
más que fiero león en claro día,
o en garganta de monte osa gigante.

    Con el incendio de un amor, prendido
10 al turbio sueño de esperanza y miedo,
yo voy hacia la mar, hacia el olvido
    –y no como a la noche ese roquedo,
al girar del planeta ensombrecido–.
No me llaméis, porque tornar no puedo.

III. 4. *Lueñe*: distante, lejano.

IV

    ¡Oh soledad, mi sola compañía,
oh musa del portento, que el vocablo
diste a mi voz que nunca te pedía!,
responde a mi pregunta: ¿con quién hablo?
    Ausente de ruidosa mascarada,   5
divierto mi tristeza sin amigo,
contigo, dueña de la faz velada,
siempre velada al dialogar conmigo.
    Hoy pienso: este que soy será quien sea;
no es ya mi grave enigma este semblante   10
que en el íntimo espejo se recrea,
    sino el misterio de tu voz amante.
Descúbreme tu rostro, que yo vea
fijos en mí tus ojos de diamante.

[XVI]
DE MI CARTERA

I

    Ni mármol duro y eterno,
ni música ni pintura,
sino palabra en el tiempo.

II

Canto y cuento es la poesía.
Se canta una viva historia,
contando su melodía.

III

Crea el alma sus riberas;
montes de ceniza y plomo,
sotillos de primavera.

IV

Toda la imaginería
que no ha brotado del río,
barata bisutería.

V

Prefiere la rima pobre,
la asonancia indefinida.
Cuando nada cuenta el canto,
acaso huelga la rima.

III.3. *Sotillos:* sitios de poca extensión poblados de árboles y arbustos.

VI

Verso libre, verso libre...
Líbrate, mejor, del verso
cuando te esclavice.

VII

La rima verbal y pobre,
y temporal, es la rica.
El adjetivo y el nombre,
remansos del agua limpia,
son accidentes del verbo   5
en la gramática lírica,
del Hoy que será Mañana,
del Ayer que es Todavía.

CLXV
(Sonetos)

I

Tuvo mi corazón, encrucijada
de cien caminos, todos pasajeros,
un gentío sin cita ni posada,
como en andén ruidoso de viajeros.

5   Hizo a los cuatro vientos su jornada,
disperso el corazón por cien senderos
de llana tierra o piedra aborrascada,
y a la suerte, en el mar, de cien veleros.

    Hoy, enjambre que torna a su colmena
10 cuando el bando de cuervos enronquece
en busca de su peña denegrida,

    vuelve mi corazón a su faena,
con néctares del campo que florece
y el luto de la tarde desabrida.

II

Verás la maravilla del camino,
camino de soñada Compostela
–¡oh monte lila y flavo!–, peregrino,
en un llano, entre chopos de candela.

5   Otoño con dos ríos ha dorado
el cerco del gigante centinela
de piedra y luz, prodigio torreado
que en el azul sin mancha se modela.

II.3. *Flavo:* de color entre amarillo y rojo.

122

Verás en la llanura una jauría
de agudos galgos y un señor de caza,
cabalgando a lejana serranía,
    vano fantasma de una vieja raza.
Debes entrar cuando en la tarde fría
brille un balcón de la desierta plaza.

III

¡Empañé tu memoria? ¡Cuántas veces!
La vida baja como un ancho río,
y cuando lleva al mar alto navío
va con cieno verdoso y turbias heces.
    Y más si hubo tormenta en sus orillas,   5
y él arrastra el botín de la tormenta,
si en su cielo la nube cenicienta
se incendió de centellas amarillas.
    Pero aunque fluya hacia la mar ignota,
es la vida también agua de fuente   10
que de claro venero, gota a gota,
    o ruidoso penacho de torrente,
bajo el azul, sobre la piedra brota.
Y allí suena tu nombre ¡eternamente!

IV

Esta luz de Sevilla... Es el palacio
donde nací, con su rumor de fuente.

IV.1. Se trata del Palacio de las Dueñas, propiedad de los duques de
Alba. El padre de Machado era administrador de las viviendas para
arrendar en que se había dividido este palacio.

Mi padre, en su despacho. –La alta frente,
la breve mosca, y el bigote lacio–.

5 Mi padre, aún joven. Lee, escribe, hojea
sus libros y medita. Se levanta;
va hacia la puerta del jardín. Pasea.
A veces habla solo, a veces canta.

Sus grandes ojos de mirar inquieto
10 ahora vagar parecen, sin objeto
donde puedan posar, en el vacío.

Ya escapan de su ayer a su mañana;
ya miran en el tiempo, ¡padre mío!,
piadosamente mi cabeza cana.

V

Huye del triste amor, amor pacato,
sin peligro, sin venda ni aventura,
que espera del amor prenda segura,
porque en amor locura es lo sensato.

5 Ese que el pecho esquiva al niño ciego
y blasfemó del fuego de la vida,
de una brasa pensada, y no encendida,
quiere ceniza que le guarde el fuego.

Y ceniza hallará, no de su llama,
10 cuando descubra el torpe desvarío
que pedía, sin flor, fruto en la rama.

Con negra llave el aposento frío
de su tiempo abrirá. ¡Desierta cama,
y turbio espejo y corazón vacío!

---

4. *Mosca:* pelo que le crece al hombre entre el labio inferior y el comienzo de la barbilla.

CLXVI
(Viejas canciones)

I

A la hora del rocío,
de la niebla salen
sierra blanca y prado verde.
¡El sol en los encinares!
  Hasta borrarse en el cielo,   5
suben las alondras.
¿Quién puso plumas al campo?
¿Quién hizo alas de tierra loca?
  Al viento, sobre la sierra,
tiene el águila dorada   10
las anchas alas abiertas.
  Sobre la picota
donde nace el río,
sobre el lago de turquesa
y los barrancos de verdes pinos;   15
sobre veinte aldeas,
sobre cien caminos...
  Por los senderos del aire,
señora águila,
¿dónde vais a todo vuelo tan de mañana?   20

---

12. *Picota:* parte superior y puntiaguda de algo alto (una torre, una montaña).

125

II

Ya había un albor de luna
en el cielo azul.
¡La luna en los espartales,
cerca de Alicún!
Redonda sobre el alcor,
y rota en las turbias aguas
del Guadiana menor.
Entre Úbeda y Baeza
–loma de las dos hermanas:
Baeza, pobre y señora,
Úbeda, reina y gitana–.
Y en el encinar,
¡luna redonda y beata,
siempre conmigo a la par!

III

Cerca de Úbeda la grande,
cuyos cerros nadie verá,
me iba siguiendo la luna
sobre el olivar.
Una luna jadeante,
siempre conmigo a la par.
Yo pensaba: ¡bandoleros
de mi tierra!, al caminar
en mi caballo ligero.
¡Alguno conmigo irá!

II.3. *Espartales:* terreno en que crece el esparto.
5. *Alcor:* cerro o colina.

Que esta luna me conoce
y, con el miedo, me da
el orgullo de haber sido
alguna vez capitán.

IV

En la sierra de Quesada
hay un águila gigante,
verdosa, negra y dorada,
siempre las alas abiertas.
Es de piedra y no se cansa.   5
    Pasado Puerto Lorente,
entre las nubes galopa
el caballo de los montes.
Nunca se cansa: es de roca.
    En el hondón del barranco   10
se ve al jinete caído,
que alza los brazos al cielo.
Los brazos son de granito.
    Y allí donde nadie sube
hay una virgen risueña   15
con un río azul en brazos.
Es la Virgen de la Sierra.

De un cancionero apócrifo

CLXVII
(Abel Martín)

Abel Martín, poeta y filósofo. Nació en Sevilla
(1840). Murió en Madrid (1898).

LA OBRA

Abel Martín dejó una importante obra filosófica (*Las cinco formas de la objetividad, De lo uno a lo otro, Lo universal cualitativo, De la esencial heterogeneidad del ser*) y una colección de poesías, publicada en 1884, con el título de *Los complementarios*.

Digamos algo de su filosofía, tal como aparece, más o menos explícita, en su obra poética, dejando para otros el análisis sistemático de sus tratados puramente doctrinales.

Su punto de partida está, acaso, en la filosofía de Leibniz. Con Leibniz concibe lo real, la sustancia, como algo constantemente activo. Piensa Abel Martín la sustancia como energía, fuerza que puede engendrar el movimiento y es siempre su causa; pero que también subsiste sin él. El movimiento no es para Abel Martín nada esencial. La fuerza puede ser inmóvil –lo es en su estado de pureza–; mas no por ello deja de ser activa. La actividad de la fuerza pura o sustancia se llama conciencia. Ahora bien; esta actividad consciente, por la cual se revela la pura sustancia, no por ser inmóvil es inmutable y rígida, sino que se encuentra en perpetuo cambio. Abel Martín distingue el *movimiento* de la *mutabilidad*. El movimiento supone el espacio, es un cambio de lugar en él, que deja intacto el

131

objeto móvil; no es un cambio real, sino aparente. «Sólo se mueven –dice Abel Martín– las cosas que no cambian.» Es decir, que sólo podemos percibir el movimiento de las cosas en cuanto en dos puntos distintos del espacio permanecen iguales a sí mismas. Su cambio real, íntimo, no puede ser percibido ni pensado como movimiento. La mutabilidad, o cambio sustancial, es, por el contrario, inespacial. Abel Martín confiesa que el cambio sustancial no puede ser pensado conceptualmente –porque todo pensamiento conceptual supone el espacio, *esquema de la movilidad de lo inmutable–;* pero sí intuido como el hecho más inmediato por el cual la *conciencia,* o actividad pura de la sustancia, se reconoce a sí misma. A la objeción del sentido común que afirma como necesario el movimiento donde cree percibir el cambio, contesta Abel Martín que el movimiento no ha sido pensado lógicamente, sin contradicción, por nadie; y que si es intuido, cosa innegable, lo es *siempre* a condición de la inmutabilidad del objeto móvil. No hay, pues, razón para establecer relación alguna entre cambio y movimiento. El sentido común, o común sentir, puede en este caso, como en otros muchos, invocar su derecho a juzgar real lo aparente y afirmar, pues, la realidad del movimiento, pero nunca a sostener la identidad de movimiento y cambio sustancial, es decir, de movimiento y cambio que no sea mero cambio de lugar.

No sigue Abel Martín a Leibniz en la concepción de las mónadas como pluralidad de sustancias. El concepto de pluralidad es inadecuado a la sustancia. «Cuando Leibniz –dice Abel Martín– supone multiplicidad de mónadas y pretende que cada una de ellas sea el espejo del universo, o una representación más o menos clara del universo entero, no piensa las mónadas como sustancias, fuerzas activas conscientes, sino que se coloca fuera de ellas y se las representa como seres pasivos que forman por refracción, a la manera de los espejos, que nada tienen que ver con las conciencias, la imagen del universo.» La mónada de Abel Martín, porque también Abel Martín habla de mónadas, no sería ni un espejo ni una representación del universo, sino el universo mismo como actividad consciente: *el gran ojo que todo lo ve al verse a sí mismo.* Esta mónada puede ser pensada, por abstracción, en cualquiera de los infinitos puntos de la total esfera que constituye nuestra representación espacial del universo (representación grosera y aparencial); pero en cada uno de ellos sería una autoconciencia integral del universo entero. El universo, pensado como sustancia, fuerza activa consciente, supone una sola y única mónada, que sería como el alma universal de Giordano Bruno *(Anima tota in toto et qualibet totius parte.)*

En la primera página de su libro de poesías *Los complementarios,* dice Abel Martín:

[I]

Mis ojos en el espejo
son ojos ciegos que miran
los ojos con que los veo.

En una nota, hace constar Abel Martín que fueron estos tres versos los primeros que compuso, y que los publica, no obstante su aparente trivialidad o su marcada perogrullez, porque de ellos sacó, más tarde, por reflexión y análisis, toda su metafísica.

La segunda composición del libro dice así:

[II]

Gracias, Petenera mía;
por tus ojos me he perdido:
era lo que yo quería.

Y añade, algunas páginas más adelante:

[III]

Y en la cosa nunca vista
de tus ojos me he buscado:
en el ver con que me miras.

En las coplas de Abel Martín se adivina cómo, dada su concepción de la sustancia, unitaria y mudable, quieta y activa, preocupan al poeta los problemas de las cuatro apariencias: el movimiento, la materia extensa, la limitación cognoscitiva y la multiplicidad de sujetos. Este último es para Abel Martín, poeta, el apasionante problema del amor.

Que fue Abel Martín hombre en extremo erótico lo sabemos por testimonio de cuantos le conocieron, y algo también por su propia lírica, donde abundan expresiones, más o menos hiperbólicas, de un apasionado culto a la mujer. Ejemplos:

[IV]

La mujer es
el anverso del ser.

(Página 22)

[V]

Sin el amor, las ideas
son como mujeres feas,
o copias dificultosas
de los cuerpos de las diosas.

(Página 59)

[VI]

Sin mujer
no hay engendrar ni saber.

(Página 125)

Y otras sentencias menos felices, aunque no menos interesantes, como ésta:

[VII]

...Aunque a veces sabe Onán
mucho que ignora Don Juan.

(Página 207)

Que fue Abel Martín hombre mujeriego lo sabemos y, acaso, también onanista; hombre, en suma, a quien la mujer inquieta y desazona, por presencia o ausencia. Y fue, sin duda, el amor a mujer el que llevó a Abel Martín a formularse esta pregunta: ¿Cómo es posible el objeto erótico?

De las cinco formas de la objetividad que estudia Abel Martín en su obra más extensa de metafísica, a cuatro diputa aparenciales, es decir, apariencias de objetividad y, en realidad, actividades del sujeto mismo. Así, pues, la primera, en el orden de su estudio, la x constante del conocimiento, considerado como problema infinito, sólo tiene de objetiva la pretensión de serlo. La segunda, el llamado mundo objetivo de la ciencia, descolorido y descualificado, mundo de puras relaciones cuantitativas, es el fruto de un trabajo de desubjetivación del sujeto sensible, que no llega –claro es– a plena realización, y que, aunque a tal llegara, sólo conseguiría agotar el sujeto, pero nunca revelar objeto alguno, es decir, algo opuesto o distinto del sujeto. La tercera es el mundo de nuestra representación como seres vivos, el mundo fenoménico propiamente dicho. La cuarta forma de la objetividad corresponde al mundo que se representan otros sujetos vitales. «Éste –dice Abel Martín– aparece, en verdad, englobado en el mundo de mi representación; pero, dentro de él, se le reconoce por una vibración propia, por voces que pretendo distinguir de la mía. Estos dos mundos que tendemos a unificar en una representación homogénea, el niño los diferencia muy bien, aun antes de poseer el lenguaje. Mas esta cuarta forma de la objetividad no es, en última instancia, objetiva tampoco, sino una aparente escisión del sujeto único que engendra, por intersección e interferencia, al par, todo el elemento tópico y conceptual de nuestra psique, la moneda de curso en cada grupo viviente.»

Mas existe –según Abel Martín– una quinta forma de la objetividad, mejor diremos una quinta pretensión a lo objetivo, que se da tan en las fronteras del sujeto mismo, que parece referirse a un *otro* real, objeto, no de conocimiento, sino de amor.

Vengamos a las rimas eróticas de Abel Martín.

El amor comienza a revelarse como un súbito incre-
mento del caudal de la vida, sin que, en verdad, aparezca
objeto concreto al cual tienda.

[VIII]

PRIMAVERAL

Nubes, sol, prado verde y caserío
en la loma, revueltos. Primavera
puso en el aire de este campo frío
la gracia de sus chopos de ribera.

Los caminos del valle van al río   5
y allí, junto del agua, amor espera.
¿Por ti se ha puesto el campo ese atavío
de joven, oh invisible compañera?

¿Y ese perfume del habar al viento?
¿Y esa primera blanca margarita?...   10
¿Tú me acompañas? En mi mano siento

doble latido; el corazón me grita,
que en las sienes me asorda el pensamiento:
eres tú quien florece y resucita.

«La amada –dice Abel Martín– acompaña antes
que aparezca o se oponga como objeto de amor; es, en
cierto modo, una con el amante, no al término, como
en los místicos, del proceso erótico, sino en su principio.»

En un largo capítulo de su libro *De lo uno a lo otro,*
dedicado al amor, desarrolla Abel Martín el contenido de
este soneto. No hemos de seguirle en el camino de una
pura especulación, que le lleva al fondo de su propia

metafísica, allí donde pretende demostrar que es precisamente el amor la autorrevelación de la esencial heterogeneidad de la sustancia única. Sigámosle, por ahora, en sus rimas, tan sencillas en apariencia, y tan claras que, según nos confiesa el propio Martín, hasta las señoras de su tiempo creían comprenderlas mejor que él mismo las comprendía. Sigámosle también en las notas que acompañan a sus rimas eróticas.

En una de ellas dice Abel Martín: «Ya algunos pedagogos comienzan a comprender que los niños no deben ser educados como meros aprendices de hombres, que hay algo sagrado en la infancia para vivido plenamente por ella. Pero ¡qué lejos estamos todavía del respeto a lo sagrado juvenil! Se quiere a todo trance apartar a los jóvenes del amor. Se ignora o se aparenta ignorar que la castidad es, por excelencia, la virtud de los jóvenes, y la lujuria, siempre, cosa de viejos; y que ni la Naturaleza ni la vida social ofrecen los peligros que los pedagogos temen para sus educandos. Más perversos, acaso, y más errados, sin duda, que los frailes y las beatas, pretenden hacer del joven un niño estúpido que juegue, no como el niño, para quien el juego es la vida misma, sino con la seriedad de quien cumple un rito solemne. Se quiere hacer de la fatiga muscular beleño adormecedor del sexo. Se aparta al joven de la galantería, a que es naturalmente inclinado, y se le lleva al deporte, al juego extemporáneo. Esto es perverso. Y no olvidemos –añade– que la pederastia, actividad erótica, desviada y superflua, es la compañera inseparable de la gimnástica».

[IX]
ROSA DE FUEGO

Tejidos sois de primavera, amantes,
de tierra y agua y viento y sol tejidos.
La sierra en vuestros pechos jadeantes,
en los ojos los campos florecidos,
    pasead vuestra mutua primavera,   5
y aun bebed sin temor la dulce leche
que os brinda hoy la lúbrica pantera,
antes que, torva, en el camino aceche.
    Caminad, cuando el eje del planeta
se vence hacia el solsticio de verano,   10
verde el almendro y mustia la violeta,
    cerca la sed y el hontanar cercano,
hacia la tarde del amor, completa,
con la rosa de fuego en vuestra mano.

(Los complementarios, pág. 250)

Abel Martín tiene muy escasa simpatía por el sentido
erótico de nuestros místicos, a quienes llama *frailecillos y
monjucas tan inquietos como ignorantes.* Comete en esto
grave injusticia, que acusa escasa comprensión de nuestra literatura mística, tal vez escaso trato con ella. Conviene, sin embargo, recordar, para explicarnos este desvío,
que Abel Martín no cree que el espíritu avance un ápice en
el camino de su perfección, ni que se adentre en lo esencial
por apartamiento y eliminación del mundo sensible. Éste,
aunque pertenezca al sujeto, no por ello deja de ser una
realidad firme e indestructible; sólo su objetividad es, a fin

[IX].7. La *lúbrica pantera* es la «lanza» de Dante que en la *Divina
Comedia* cierra el paso al extraviado poeta.

de cuentas, aparencial; pero, aun como forma de la objetividad –léase pretensión a lo objetivo– es, por más cercano
al sujeto consciente, más sustancial que el mundo de la
ciencia y de la teología de escuela: está más cerca que ellos
del corazón de lo absoluto.

Pero sigamos con las rimas eróticas de Abel Martín.

[x]
GUERRA DE AMOR

El tiempo que la barba me platea,
cavó mis ojos y agrandó mi frente,
va siendo en mí recuerdo transparente,
y mientras más al fondo, más clarea.

5   Miedo infantil, amor adolescente,
¡cuánto esta luz de otoño os hermosea!,
¡agrios caminos de la vida fea,
que también os doráis al sol poniente!

¡Cómo en la fuente donde el agua mora
10   resalta en piedra una leyenda escrita:
al ábaco del tiempo falta un hora!

¡Y cómo aquella ausencia en una cita,
bajo los olmos que noviembre dora,
del fondo de mi historia resucita!

«La amada –explica Abel Martín– no acude a la cita; es
en la cita ausencia.» «No se interprete esto –añade– en un
sentido literal.» El poeta no alude a ninguna anécdota amorosa de pasión no correspondida o desdeñada. El
amor mismo es aquí un sentimiento de ausencia. La amada no acompaña; es aquello que no se tiene y vanamente
se espera. El poeta, al evocar su total historia emotiva,
descubre la hora de la primera angustia erótica. Es un

sentimiento de soledad, o mejor, de pérdida de una compañía, de ausencia inesperada en la cita que confiada-
mente se dio, lo que Abel Martín pretende expresar en
este soneto de apariencia romántica. A partir de este
momento, el amor comienza a ser consciente de sí mismo. Va a surgir el objeto erótico –la amada para el amante, o viceversa–, que se opone al amante

así un imán que, al atraer, repele

y que, lejos de fundirse con él, es siempre lo *otro*, lo
inconfundible con el amante, lo impenetrable, no por
definición, como la primera y segunda persona de la gramática, sino realmente. Empieza entonces para algunos
–románticos– el calvario erótico; para otros, la guerra
erótica, con todos sus encantos y peligros, y para Abel
Martín, poeta, hombre integral, todo ello reunido, más la
sospecha de la esencial heterogeneidad de la sustancia.

Debemos hacer constar que Abel Martín no es un erótico a la manera platónica. El Eros no tiene en Martín,
como en Platón, su origen en la contemplación del cuerpo bello; no es, como en el gran ateniense, el movimiento
que, partiendo del entusiasmo por la belleza del mancebo, le lleva a la contemplación de la belleza ideal. El amor
dorio y toda homosexualidad son rechazados también
por Abel Martín, y no por razones morales, sino metafísicas. El Eros martiniano sólo se inquieta por la contemplación del cuerpo femenino, y a causa precisamente de
aquella diferencia irreductible que en él se advierte. No es
tampoco para Abel Martín la belleza el gran incentivo del
amor, sino la sed metafísica de lo esencialmente otro.

* * *

[XI]

Nel mezzo del cammin pasome el pecho
la flecha de un amor intempestivo.
Que tuvo en el camino largo acecho
mostrome en lo certero el rayo vivo.
5   Así un imán que, al atraer, repele
(¡oh claros ojos de mirar furtivo!),
amor que asombra, aguija, halaga y duele,
y más se ofrece cuanto más esquivo.
Si un grano del pensar arder pudiera,
10   no en el amante, en el amor, sería
la más honda verdad lo que se viera;
y el espejo de amor se quebraría,
roto su encanto, y roto la pantera
de la lujuria el corazón tendría.

El espejo de amor se quebraría... Quiere decir Abel Martín
que el amante renunciaría a cuanto es espejo en el amor,
porque comenzaría a amar en la amada lo que, por esencia,
no podrá nunca reflejar su propia imagen. Toda la metafísica y la fuerza trágica de aquella su insondable solear:

[XI BIS]

Gracias, Petenera mía:
en tus ojos me he perdido;
era lo que yo quería

aparecen ahora transparentes o, al menos, translúcidas.

⋆ ⋆ ⋆

[XI].1. «Nell mezzo del cammin» es el comienzo del canto I de la *Divina Comedia*.

Para comprender claramente el pensamiento de Martín en su lírica, donde se contiene su manifestación integral, es preciso tener en cuenta que el poeta pretende, según declaración propia, haber creado una forma lógica nueva, en la cual todo razonamiento debe adoptar la manera fluida de la intuición. No es posible –dice Martín– un pensamiento heraclitano dentro de una lógica eleática. De aquí las aparentes lagunas que alguien señaló en su expresión conceptual, la falta de congruencia entre las premisas y las consecuencias de sus razonamientos. En todo verdadero razonamiento no puede haber conclusiones que estén contenidas en las premisas. Cuando se fija el pensamiento por la palabra, hablada o escrita, debe cuidarse de indicar de alguna manera la imposibilidad de que las premisas sean válidas, permanezcan como tales, en el momento de la conclusión. La lógica real no admite supuestos, conceptos inmutables, sino realidades vivas, inmóviles, pero en perpetuo cambio. Los conceptos o formas captoras de lo real no pueden ser rígidos, si han de adaptarse a la constante mutabilidad de lo real. Que esto no tiene expresión posible en el lenguaje, lo sabe Abel Martín. Pero cree que el lenguaje poético puede sugerir la evolución de las premisas asentadas, mediante conclusiones lo bastante desviadas e incongruentes para que el lector o el oyente calcule los cambios que, por necesidad, han de experimentar aquéllas, desde el momento en que fueron fijadas hasta el de la conclusión, para que vea claramente que las premisas inmediatas de sus aparentemente inadecuadas conclusiones no son, en realidad, las expresadas por el lenguaje, sino otras que se han producido en el constante mudar del pensamiento. A esto llama Abel Martín *esquema externo de una lógica temporal en que A no es*

nunca A en dos momentos sucesivos. Abel Martín tiene
–no obstante– una profunda admiración por la lógica
de la identidad que, precisamente por no ser lógica de
lo real, le parece una creación milagrosa de la mente
humana*.

Tras este rodeo, volvamos a la lírica erótica de Abel
Martín.

«Psicológicamente considerado, el amor humano se
diferencia del puramente animal –dice Abel Martín en
su tratado de *Lo universal cualitativo*– por la exaltación
constante de la facultad representativa, la cual, en
casos extremos, convierte al cerebro superior, al que
imagina y piensa, en órgano de excitación del cerebro
animal. La desproporción entre el excitante, el harén
mental del hombre moderno –en España, si existe,
marcadamente onanista– y la energía sexual de que el
individuo dispone, es causa de constante desequilibrio. Médicos, moralistas y pedagogos deben tener
esto muy presente, sin olvidar que este desequilibrio
es, hasta cierto grado, lo normal en el hombre. La imaginación pone mucho más en el coito humano que el
mero contacto de los cuerpos. Y, acaso, conviene que
así sea, porque, de otro modo, sólo se perpetuaría la

---

* Muy lejos está Abel Martín de creer en el valor pragmático de la lógica
intemporal. La forma lógica del pensamiento es aquello que no puede
estar jamás al servicio de la vida. Su inutilidad, en el sentido vital, hace
de ella el gran problema de la filosofía del porvenir. Abel Martín no
piensa que sea la utilidad el valor supremo, sino, sencillamente, uno de
los valores humanos. Lo inútil, en cambio, no es por sí mismo valioso.
En cuanto lleva, como el pensar lógico, el signo negativo de la inutilidad, no hemos de ver necesariamente algo superior a lo útil. Pero tampoco hemos de sorprendernos si encontráramos en ello otro valor de
más alta categoría que el de la utilidad. *(N. del A.)*

animalidad. Pero es preciso poner freno, con la censura moral, a esta tendencia, natural en el hombre, a sustituir el contacto y la imagen percibida por la imagen representada, o, lo que es más peligroso y frecuente en cerebros superiores, por la imagen creada. No debe el hombre destruir su propia animalidad, y por ella han de velar médicos e higienistas.»

Abel Martín no insiste demasiado sobre este tema: cuando a él alude, es siempre de vuelta de su propia metafísica. Los desarreglos de la sexualidad, según Abel Martín, no se originan –como supone la moderna psiquiatría– en las oscuras zonas de lo subconsciente, sino, por el contrario, en el más iluminado taller de la conciencia. El objeto erótico, última instancia de la objetividad, es también, en el plano inferior del amor, proyección subjetiva.

Copiemos ahora algunas coplas de Abel Martín, vagamente relacionadas con este tema. Abel Martín –conviene advertirlo– no pone nunca en verso sus ideas, pero éstas le acompañan siempre:

[XII]
Consejos, coplas, apuntes

1

Tengo dentro de un herbario
una tarde disecada,
lila, violeta y dorada.
–Caprichos de solitario.

2

Y en la página siguiente,
los ojos de Guadalupe,
cuya color nunca supe.

3

Y una frente...

4

Calidoscopio infantil.
Una damita, al piano.
Do, re, mi.
Otra se pinta al espejo
los labios de colorín.

5

Y rosas en un balcón
a la vuelta de una esquina,
calle de Válgame Dios.

6

Amores, por el atajo,
de los de «Vente conmigo».
...«Que vuelvas pronto, serrano».

7

En el mar de la mujer
pocos naufragan de noche;
muchos, al amanecer.

8

Siempre que nos vemos
es cita para mañana.
Nunca nos encontraremos.

9

La plaza tiene una torre,
la torre tiene un balcón,
el balcón tiene una dama,
la dama una blanca flor.
Ha pasado un caballero   5
–¡quién sabe por qué pasó!–,
y se ha llevado la plaza
con su torre y su balcón,
con su balcón y su dama,
su dama y su blanca flor.   10

10

Por la calle de mis celos
en veinte rejas con otro
hablando siempre te veo.

11

Malos sueños he.
Me despertaré.

12

Me despertarán
campanas del alba
que sonando están.

13

Para tu ventana
un ramo de rosas me dio la mañana.
Por un laberinto, de calle en calleja,
buscando, he corrido, tu casa y tu reja.
5   Y en un laberinto me encuentro perdido
en esta mañana de mayo florido.
Dime dónde estás.
Vueltas y revueltas. Ya no puedo más.

(Los complementarios)

* * *

«La conciencia –dice Abel Martín–, como reflexión o
pretenso conocer del conocer, sería, sin el amor o impulso hacia lo otro, el anzuelo en constante espera de pescar-
se a sí mismo. Mas la conciencia existe, como actividad
reflexiva, porque vuelve sobre sí misma, agotado su

impulso por alcanzar el objeto trascendente. Entonces
reconoce su limitación y se ve a sí misma como tensión
erótica, impulso hacia *lo otro inasequible.*» Su reflexión es
más aparente que real, porque, en verdad, no vuelve
sobre sí misma para captarse como pura actividad consciente, sino sobre la corriente erótica que brota con ella
de las mismas entrañas del ser. Descubre el amor como su
propia impureza, digámoslo así, como su *otro inmanente,* y se le revela la esencial heterogeneidad de la sustancia.
Porque Abel Martín no ha superado, ni por un momento,
el subjetivismo de su tiempo, considera toda objetividad
propiamente dicha como una apariencia, un vario espe-
jismo, una varia proyección ilusoria del sujeto fuera de sí
mismo. Pero apariencias, espejismos o proyecciones ilu-
sorias, productos de un esfuerzo desesperado del ser o
sujeto absoluto por rebasar su propia frontera, tienen un
valor positivo, pues mediante ellos se alcanza *conciencia*
en su sentido propio, a saber o sospechar la propia heterogeneidad, a tener la visión analítica –separando por
abstracción lógica lo en realidad inseparable– de la constante y quieta mutabilidad.

El gran ojo que todo lo ve al verse a sí mismo es, cierta-
mente, un ojo ante las ideas, en actitud teórica, de visión
a distancia; pero las ideas no son sino el alfabeto o con-
junto de signos homogéneos que representan las esencias
que integran el ser. Las ideas no son, en efecto, las esencias mismas, sino su dibujo o contorno trazado sobre la
negra pizarra del no ser. Hijas del amor, y, en cierto
modo, del gran fracaso del amor, nunca serían concebi-
das sin él, porque es el amor mismo o conato del ser por
superar su propia limitación quien las proyecta sobre la
nada o *cero absoluto,* que también llama el poeta *cero
divino,* pues, como veremos después, Dios no es el crea-

dor del mundo –según Martín–, sino el creador de la *nada*. No tienen, pues, las ideas realidad esencial, *per se*, son meros trasuntos o copias descoloridas de las esencias reales que integran el ser. Las esencias reales son cualitativamente distintas, y su proyección ideal tanto menos sustancial y más alejada del ser cuanto más homogénea. Estas esencias no pueden separarse en realidad, sino en su proyección ilusoria, ni cabe tampoco –según Martín– apetencia de las unas hacia las otras, sino que todas ellas aspiran, conjunta e indivisiblemente, a lo otro, a *un ser que sea lo contrario de lo que es,* de lo que ellas son, en suma, a lo imposible. En la metafísica intrasubjetiva de Abel Martín fracasa el amor, pero no el conocimiento, o, mejor dicho, es el conocimiento el premio del amor. Pero el amor, como tal, no encuentra objeto; dicho líricamente: la amada es imposible.

[XIII]

En sueños se veía
reclinado en el pecho de su amada.
Gritó, en sueños: «¡Despierta, amada mía!».
Y él fue quien despertó; porque tenía
su propio corazón por almohada.

(Los complementarios)

La ideología de Abel Martín es, a veces, oscura, lo inevitable en una metafísica de poeta, donde no se definen previamente los términos empleados. Así, por ejemplo, con la palabra *esencia* no siempre sabemos lo que quiere

decir. Generalmente, pretende designar lo absolutamente real que, en su metafísica, pertenece al sujeto mismo,
puesto que más allá de él no hay nada. Y nunca emplea
Martín este vocablo como término opuesto a lo existen-
cial o realizado en espacio y tiempo. Para Martín esta dis-
tinción, en cuanto pretende señalar diversidad profunda,
es artificial. Todo es por y en el sujeto, todo es actividad
consciente, y para la conciencia integral nada es que no
sea la conciencia misma. «Sólo lo absoluto –dice Martín–
puede tener existencia, y todo lo existente *es absolutamente* en el sujeto consciente.» El ser es pensado por
Martín como conciencia activa, quieta y mudable, esencialmente heterogénea, siempre sujeto, nunca objeto
pasivo de energías extrañas. La sustancia, el ser que todo
lo es al *serse* a sí mismo, cambia en cuanto es actividad
constante, y permanece inmóvil, porque no existe energía que no sea él mismo, que le sea externa y pueda
moverle. «La concepción mecánica del mundo –añade
Martín– es el ser pensado como pura inercia, el ser que
no es por sí, *inmutable y en constante movimiento,* un tor-
bellino de cenizas que agita, no sabemos por qué ni para
qué, la mano de Dios.» Cuando esta mano, patente aún
en la *chiquenaude* cartesiana, no es tenida en cuenta, el
ser es ya pensado como aquello que absolutamente no es.
Los atributos de la sustancia son ya, en Espinosa, los atributos de la pura nada. La conciencia llega, por ansia de lo
otro, al límite de su esfuerzo, a pensarse a sí misma como
objeto total, a pensarse como no es, a *deseerse.* El trágico
erotismo de Espinosa llevó a un límite infranqueable la
desubjetivación del sujeto. «¿Y cómo no intentar –dice
Martín– devolver a *lo que es* su propia intimidad?» Esta
empresa fue iniciada por Leibniz –filósofo del porvenir,
añade Martín–; pero sólo puede ser consumada por la

poesía, que define Martín como aspiración a conciencia integral. El poeta, como tal, no renuncia a nada, ni pretende degradar ninguna apariencia. Los colores del iris no son para él menos reales que las vibraciones del éter que paralelamente los acompañan; no son éstas menos *suyas* que aquéllos, ni el acto de ver menos sustancial que el de medir o contar los estremecimientos de la luz. Del mismo modo, la vida ascética, que pretende la perfección moral en el vacío o enrarecimiento de representaciones vitales, no es para Abel Martín camino que lleve a ninguna parte. El *ethos* no se purifica, sino que se empobrece por eliminación del *pathos,* y aunque el poeta debe saber distinguirlos, su misión es la reintegración de ambos a aquella zona de la conciencia en que se dan como inseparables.

En su *Diálogo entre Dios y el Santo,* dice este último:

—Por amor de Ti he renunciado a todo, a todo lo que no eras Tú. Hice la noche en mi corazón para que sólo tu luz resplandezca.

Y Dios contesta:

—Gracias, hijo, porque también las luciérnagas son cosa mía.

Cuando se preguntaba a Martín si la poesía aspiraba a expresar lo inmediato psíquico, pues la conciencia, cogida en su propia fuente, sería, según su doctrina, conciencia integral, respondía: «Sí y no. Para el hombre, lo inmediato consciente es siempre cazado en el camino de vuelta. También la poesía es hija del gran fracaso del amor. La conciencia, en el hombre, comienza por ser vida, espontaneidad; en este primer grado, no puede darse en ella ningún fruto de la cultura, es actividad ciega, aunque no mecánica, sino animada, animalidad, si se quiere. En un segundo grado, comienza a verse a sí mis-

ma como un turbio río y pretende purificarse. Cree haber
perdido la inocencia; mira como extraña su propia riqueza.
Es el momento erótico, de honda inquietud, en que lo *Otro*
inmanente comienza a ser pensado como trascendente,
como objeto de conocimiento y de amor. Ni Dios está en
el mundo, ni la verdad en la conciencia del hombre. En el
camino de la conciencia integral o autoconciencia, este
momento de soledad y angustia es inevitable. Sólo después que el anhelo erótico ha creado las formas de la objetividad –Abel Martín cita cinco en su obra de metafísica *De lo uno a lo otro,* pero en sus últimos escritos señala
hasta veintisiete– puede el hombre llegar a la visión real
de la conciencia, reintegrando a la pura unidad heterogénea las citadas formas o *reversos del ser,* a verse, a vivir-
se, a *serse* en plena y fecunda intimidad. El pindárico *sé el
que eres* es el término de este camino de vuelta, la meta
que el poeta pretende alcanzar». *Mas nadie* –dice Martín–
logrará ser el que es, si antes no logra pensarse como no es.

★ ★ ★

De su libro de estética *Lo universal cualitativo,* entresaca-
mos los párrafos siguientes:

«1. Problema de la lírica: La materia en que las artes
trabajan, sin excluir del todo a la música, pero excluyen-
do a la poesía, es algo no configurado por el espíritu: piedra, bronce, sustancias colorantes, aire que vibra, materia bruta, en suma, de cuyas leyes que la ciencia investiga,
el artista, como tal, nada entiende. También le es dado al
poeta su material, el lenguaje, como al escultor el mármol
o el bronce. En él ha de ver, por de pronto, lo que aún no
ha recibido forma, lo que va a ser, después de su labor,
sustentáculo de un mundo ideal. Pero mientras el artista

de otras artes comienza venciendo resistencias de la materia bruta, el poeta lucha con una nueva clase de resistencias: las que ofrecen aquellos productos espirituales, las palabras, que constituyen su material. Las palabras, a diferencia de las piedras, o de las materias colorantes, o del aire en movimiento, son ya, por sí mismas, significaciones de lo humano, a las cuales ha de dar el poeta nueva significación. La palabra es, en parte, valor de cambio, producto social, instrumento de objetividad (objetividad, en este caso, significa convención entre sujetos), y el poeta pretende hacer de ella medio expresivo de lo psíquico individual, objeto único, valor cualitativo. Entre la palabra usada por todos y la palabra lírica existe la diferencia que entre una moneda y una joya del mismo metal. El poeta hace joyel de la moneda. ¿Cómo? La respuesta es difícil. El aurífice puede deshacer la moneda y aun fundir el metal para darle después nueva forma, aunque no caprichosa y arbitraria. Pero al poeta no le es dado deshacer la moneda para labrar su joya. Su material de trabajo no es el elemento sensible en que el lenguaje se apoya (el sonido), sino aquellas significaciones de lo humano que la palabra, como tal, contiene. Trabaja el poeta con elementos ya estructurados por el espíritu, y aunque con ellos ha de realizar una nueva estructura, no puede desfigurarlos.»

«2. Todas las formas de la objetividad, o apariencias de lo objetivo, son, con excepción del arte, productos de desubjetivación, tienden a formas espaciales y temporales puras: figuras, números, conceptos. Su objetividad quiere decir, ante todo, homogeneidad, descualificación de lo esencialmente cualitativo. Por eso, espacio y tiempo, límites del trabajo descualificador de lo sensible, son condiciones *sine qua non* de ellas, lógicamente previas o, como dice Kant, *a priori*. Sólo a este precio se consigue en la ciencia la objetividad, la ilusión del objeto, del ser que no es. El impulso hacia lo otro inasequible realiza un trabajo homogeneizador, crea la sombra del ser. Pensar es, ahora, descualificar, homogeneizar. La materia pensada se resuelve en átomos; el cambio sustancial, en movimientos de partículas inmutables en el espacio. El ser ha quedado atrás; sigue siendo el ojo que mira, y más allá están el tiempo y el espacio vacíos, la pizarra negra, la pura nada. Quien piensa el ser puro, el ser como es, piensa, en efecto, la pura nada; y quien piensa el tránsito del uno a la otra, piensa el puro devenir, tan huero como los elementos que lo integran. El pensamiento lógico sólo se da, en efecto, en el vacío sensible; y aunque es maravilloso este poder de inhibición del ser, de donde surge el palacio encantado de la lógica (la concepción mecánica del mundo, la crítica de Kant, la metafísica de Leibniz, por no citar sino ejemplos ingentes), con todo, el ser no es *nunca* pensado; contra la sentencia clásica, el ser y el pensar (el pensar homogeneizador) no coinciden, ni por casualidad.

[XIV]

Confiamos
en que no será verdad
nada de lo que pensamos.

(Véase A. *Machado*)

»Pero el arte, y especialmente la poesía –añade Martín–, que adquiere tanta importancia y responde a una necesidad tanto más imperiosa cuanto más ha avanzado el trabajo descualificador de la mente humana (esta importancia y esta necesidad son independientes del valor estético de las obras que en cada época se producen), no puede ser sino una actividad de sentido inverso al del pensamiento lógico. Ahora se trata (en poesía) de realizar nuevamente lo *desrealizado;* dicho de otro modo: una vez que el ser ha sido pensado como no es, es preciso pensarlo como es; urge devolverle su rica, inagotable heterogeneidad».

Este nuevo pensar, o pensar poético, es pensar cualificador. No es, ni mucho menos, un retorno al caos sensible de la animalidad; porque tiene sus normas, no menos rígidas que las del pensamiento homogeneizador, aunque son muy otras. Este pensar se da entre realidades, no entre sombras; entre intuiciones, no entre conceptos. «El *no ser* es ya pensado como *no ser* y arrojado, por ende, a la espuerta de la basura.» Quiere decir Martín que una vez que han sido convictas de oquedad las formas de lo objetivo, no sirven ya para pensar lo que es. Pensado el ser cualitativamente, con extensión infinita, sin mengua alguna de lo infinito de su comprensión, no hay dialéctica humana ni divina que realice ya el tránsito de su concepto al de su contrario, porque, entre otras cosas, su contrario no existe.

Necesita, pues, el pensar poético una nueva dialéctica, sin negaciones ni contrarios, que Abel Martín llama lírica y, otras veces, mágica, la lógica del cambio sustancial o devenir inmóvil, del ser cambiando o el cambio siendo. Bajo esta idea, realmente paradójica y aparentemente absurda, está la más honda intuición que Abel Martín pretende haber alcanzado.

«Los eleáticos –dice Martín– no comprendieron que la única manera de probar la inmutabilidad del ser hubiera sido demostrar la realidad del movimiento, y que sus argumentos, en verdad sólidos, eran contraproducentes; que a los heraclitanos correspondía, a su vez, probar la irrealidad del movimiento para demostrar la mutabilidad del ser. Porque ¿cómo ocupará dos lugares distintos del espacio, en dos momentos sucesivos del tiempo, lo que *constantemente* cambia y no (¡cuidado!) para dejar de ser, sino para ser otra cosa? El cambio continuo es impensable como movimiento, pues el movimiento implica persistencia del móvil en lugares distintos y en momentos sucesivos; y un cambio discontinuo, con intervalos y vacíos, que implican aniquilamiento del móvil, es impensable también. Del *no ser* al *ser* no hay tránsito posible, y la síntesis de ambos conceptos es inaceptable en toda lógica que pretenda ser, al par, ontología, porque no responde a realidad alguna.»

No obstante, Abel Martín sostiene que, sin incurrir en contradicción, se puede afirmar que es el concepto del no ser la creación específicamente humana; y a él dedica un soneto con el cual cierra la primera sección de *Los complementarios*:

[XV]
AL GRAN CERO

Cuando el *Ser que se es* hizo la nada
y reposó, que bien lo merecía,
ya tuvo el día noche, y compañía
tuvo el hombre en la ausencia de la amada.

[XV]. Machado desarrolla aquí una de sus obsesiones filosóficas: la idea de que la Nada también fue creada, como las cosas reales, por un acto de voluntad del Creador. En «Siesta» (CLXX) evoca de nuevo la creación de la Nada y vuelve a brindar por el vacío.

5   *Fiat umbra!* Brotó el pensar humano.
          Y el huevo universal alzó, vacío,
          ya sin color, desustanciado y frío,
          lleno de niebla ingrávida, en su mano.
              Toma el cero integral, la hueca esfera,
10   que has de mirar, si lo has de ver, erguido.
          Hoy que es espalda el lomo de tu fiera,
          y es el milagro del no ser cumplido,
          brinda, poeta, un canto de frontera
          a la muerte, al silencio y al olvido.

En la teología de Abel Martín es Dios definido como el
ser absoluto, y, por ende, nada que *sea* puede ser su obra.
Dios, como creador y conservador del mundo, le parece a
Abel Martín una concepción judaica, tan sacrílega como
absurda. La nada, en cambio, es, en cierto modo, una creación divina, un milagro del ser, obrado por éste para pensarse en su totalidad. Dicho de otro modo: Dios regala al
hombre el gran cero, la nada o cero integral, es decir, el
cero integrado por todas las negaciones de cuanto es. Así,
posee la mente humana un concepto de totalidad, la
suma de cuanto no es, que sirva lógicamente de límite y
frontera a la totalidad de cuanto es.

        Fiat umbra! Brotó el pensar humano.

Entiéndase: el pensar homogeneizador –no el poético,
que es ya pensamiento divino–; el pensar del mero bípe-
do racional, el que ni por casualidad puede coincidir con
la pura heterogeneidad del ser; el pensar que necesita
de la nada para pensar lo que es, porque, en realidad, lo
piensa como *no siendo*.

Tras este soneto, no exento de énfasis, viene el *canto de frontera,* por soleares (cante hondo) *a la muerte, al silencio y al olvido,* que constituye la segunda sección del libro *Los complementarios.* La tercera sección lleva, a guisa de prólogo, los siguientes versos:

[XVI]
AL GRAN PLENO O CONCIENCIA INTEGRAL

Que en su estatua el alto Cero
–mármol frío,
ceño austero
y una mano en la mejilla–,
del gran remanso del río,   5
medite, eterno, en la orilla,
y haya gloria eternamente.
Y la lógica divina
que imagina,
pero nunca imagen miente   10
–no hay espejo; todo es fuente–,
diga: sea
cuanto es, y que se vea
cuanto ve. Quieto y activo
–mar y pez y anzuelo vivo,   15
todo el mar en cada gota,
todo el pez en cada huevo,
todo nuevo–,
lance unánime su nota.
Todo cambia y todo queda,   20
piensa todo,
y es a modo,
cuando corre, de moneda,

un sueño de mano en mano.
Tiene amor rosa y ortiga,
y la amapola y la espiga
le brotan del mismo grano.
Armonía;
todo canta en pleno día.
Borra las formas del cero,
torna a ver,
brotando de su venero,
las vivas aguas del ser.

CANCIONERO APÓCRIFO

CLXVIII
Juan de Mairena

Poeta, filósofo, retórico e inventor de una Máquina de Cantar. Nació en Sevilla (1865). Murió en Casariego de Tapia (1909). Es autor de una *Vida de Abel Martín,* de un *Arte poética,* de una colección de poesías: *Coplas mecánicas,* y de un tratado de metafísica: *Los siete reversos.*

[I]
Mairena a Martín, muerto

Maestro, en tu lecho yaces,
en paz con Ella o con Él...
(¿Quién sabe de últimas paces,
don Abel?)
Si con Ella, bien colmada   5
la medida,
dice, quieta, en la almohada
tu noble cabeza hundida.
Si con Él, que todo sea
–donde sea– quieto y vivo,   10
el ojo en superlativo,
que mire, admire y se vea.

* * *

Del juglar meditativo
quede el ínclito ideario
15   para el alba que aún no ríe;
y el muñeco estrafalario
del retablo desafíe
con su gesto al sol gregario.

* * *

Hiedra y parra. Las paredes
20   de los huertos blancas son.
Por calles de Sal-Si-Puedes
brillan balcón y balcón.

Todavía, ¡oh don Abel!,
vibra la campanería
25   de la tarde, y un clavel
te guarda Rosa María.

Todavía
se oyen entre los cipreses
de tu huerto y laberinto
30   de tus calles –eses y eses,
trenzadas, de vino tinto–
tus pasos; y el mazo suena
que en la fragua de un instinto
blande la razón serena.

De tu logos variopinto,
35   nueva *ratio*,
queda el ancla en agua y viento,
buen cimiento
de tu lírico palacio.

Y cuajado en piedra el fuego
40   del amante
(Amor bizco y Eros ciego),
brilla al sol como diamante.

La composición continúa, algo enrevesada y dificil, con esa dificultad artificiosa del barroco conceptual, que el propio Mairena censura en su *Arte poética*. En las últimas estrofas, el sentimiento de piedad hacia el maestro parece enturbiarse con mezcla de ironía, rayana en sarcasmo. Y es que toda nueva generación ama y odia a su precedente. El elogio incondicional rara vez es sincero. Lo del *logos variopinto* no es, sin duda, expresión demasiado feliz para significar la facultad creadora de aquellos *universales cualitativos* que persiguió Martín. Y más que incomprensión parece acusar –en Mairena– una cierta malevolencia, que le lleva al sabotaje de las ideas del maestro. Lo del *amor bizco* tiene una cuádruple significación: anecdótica, lógica, estética y metafísica. Una honda explicación de ello se encuentra en la *Vida de Abel Martín*.

El «Arte poética» de Juan de Mairena

Juan de Mairena se llama a sí mismo *el poeta del tiempo*. Sostenía Mairena que la poesía era un arte temporal –lo que ya habían dicho muchos antes que él– y que la temporalidad propia de la lírica sólo podía encontrarse en sus versos, plenamente expresada. Esta jactancia, un tanto provinciana, es propia del novato que llega al mundo de las letras dispuesto a escribir por todos –no para todos– y, en último término, contra todos. En su *Arte poética* no faltan párrafos violentos, en que Mairena se adelanta a decretar la estolidez de quienes pudieran sostener una tesis contraria a la suya. Los omitimos por vulgares, y pasamos a reproducir otros más modestos y de más sustancia.

«Todas las artes –dice Juan de Mairena en la primera lección de su *Arte poética*– aspiran a productos permanentes, en realidad, a frutos intemporales. Las llamadas artes del tiempo, como la música y la poesía, no son excepción. El poeta pretende, en efecto, que su obra trascienda de los momentos psíquicos en que es producida. Pero no olvidemos que, precisamente, es el tiempo (el tiempo vital del poeta con su propia vibración) lo que el poeta pretende intemporalizar, digámoslo con toda pompa: eternizar. El poema que no tenga muy marcado el acento temporal estará más cerca de la lógica que de la lírica.»

«Todos los medios de que se vale el poeta: cantidad, medida, acentuación, pausas, rima, las imágenes mismas, por su enunciación en serie, son elementos temporales. La temporalidad necesaria para que una estrofa tenga acusada la intención poética está al alcance de todo el mundo; se aprende en las más elementales Preceptivas. Pero una intensa y profunda impresión del tiempo sólo nos la dan muy contados poetas. En España, por ejemplo, la encontramos en don Jorge Manrique, en el Romancero, en Bécquer, rara vez en nuestros poetas del siglo de oro.»

«Veamos –dice Mairena– una estrofa de don Jorge Manrique:

¿Qué se hicieron las damas,
sus tocados, sus vestidos,
sus olores?
¿Qué se hicieron las llamas
de los fuegos encendidos
de amadores?
¿Qué se hizo aquel trovar,

> las músicas acordadas
> que tañían?
>   ¿Qué se hizo aquel danzar,
> aquellas ropas chapadas
> que traían?»

«Si comparamos esta estrofa del gran lírico español –añade Mairena– con otra de nuestro barroco literario, en que se pretenda expresar un pensamiento análogo: la fugacidad del tiempo y lo efímero de la vida humana, por ejemplo: el soneto *A las flores,* que pone Calderón en boca de su Príncipe Constante, veremos claramente la diferencia que media entre la lírica y la lógica rimada.»

«Recordemos el soneto de Calderón:

> Estas que fueron pompa y alegría,
> despertando al albor de la mañana,
> a la tarde serán lástima vana
> durmiendo en brazos de la noche fría.
>   Este matiz que al cielo desafía,
> iris listado de oro, nieve y grana,
> será escarmiento de la vida humana:
> tanto se aprende en término de un día.
>   A florecer las rosas madrugaron,
> y para envejecerse florecieron.
> Cuna y sepulcro en un botón hallaron.
>   Tales los hombres sus fortunas vieron:
> en un día nacieron y expiraron,
> que, pasados los siglos, horas fueron.»

«Para alcanzar la finalidad intemporalizadora del arte, fuerza es reconocer que Calderón ha tomado un camino demasiado llano: el empleo de elementos de suyo intemporales. Conceptos e imágenes conceptuales –pensadas, no intuidas– están fuera del tiempo psíquico del poeta, del fluir de su propia conciencia. Al *panta rhei* de Heráclito sólo es excepción el pensamiento lógico. Conceptos e imágenes en función de conceptos –sustantivos acompañados de adjetivos definidores, no cualificadores– tienen, por lo menos, esta pretensión: la de ser hoy lo que fueron ayer, y mañana lo que son hoy. El *albor de la mañana* vale para todos los amaneceres; la *noche fría,* en la intención del poeta, para todas las noches. Entre tales nociones definidas se establecen relaciones lógicas, no menos intemporales que ellas. Todo el encanto del soneto de Calderón –si alguno tiene– estriba en su corrección silogística. La poesía aquí no canta, razona, discurre en torno a unas cuantas definiciones. Es –como todo o casi todo nuestro barroco literario– escolástica rezagada.»

«En la estrofa de Manrique nos encontramos en un clima espiritual muy otro, aunque para el somero análisis, que suele llamarse crítica literaria, la diferencia pase inadvertida. El poeta no comienza por asentar nociones que traducir en juicios analíticos, con los cuales construir razonamientos. El poeta no pretende saber nada; pregunta por damas, tocados, vestidos, olores, llamas, amantes... El ¿qué se hicieron?, el devenir en interrogante individualiza ya estas nociones genéricas, las coloca en el tiempo, en un pasado vivo, donde el poeta pretende intuirlas, como objetos únicos, las rememora o evoca. No pueden ser ya cualesquiera damas, tocados, fragancias y vestidos, sino aquellos que, estampados en la placa del tiempo, conmueven –¡todavía!– el corazón del poeta. Y *aquel trovar,* y *el danzar aquel* –aquéllos y no otros– ¿qué se hicieron?, insiste en preguntar el poeta, hasta llegar a la maravilla de la estrofa: *aquellas ropas chapadas,* vistas en los giros de una danza, las que traían los caballeros de Aragón –o quienes fueren–, y que surgen ahora en el recuerdo, como escapadas de un sueño, actualizando, materializando casi el pasado, en una trivial anécdota indumentaria. Terminada la estrofa, queda toda ella vibrando en nuestra memoria como una melodía única, que no podrá repetirse ni imitarse, porque para ello sería preciso haberla vivido. La emoción del tiempo es todo en la estrofa de don Jorge; nada, o casi nada, en el soneto de Calderón. La diferencia es más profunda de lo que a primera vista parece. Ella sola explica por qué en don Jorge la lírica tiene todavía un porvenir, y en Calderón, nuestro gran barroco, un pasado abolido, definitivamente muerto.»

Se extiende después Mairena en consideraciones sobre el barroco literario español. Para Mairena –conviene advertirlo–, el concepto de lo barroco dista mucho del que han puesto de moda los alemanes en nuestros días, y que –dicho sea de paso– bien pudiera ser falso, aunque nuestra crítica lo acepte, como siempre, sin crítica, por venir de fuera.

«En poesía se define –habla Mairena– como un tránsito de lo vivo a lo artificial, de lo intuitivo a lo conceptual, de la temporalidad psíquica al plano intemporal de la lógica, como un *piétinement sur place* del pensamiento que, incapaz de avanzar sobre intuiciones –en ninguno de los sentidos de esta palabra–, vuelve sobre sí mismo, y gira y deambula en torno a lo definido, creando enmarañados laberintos verbales; un metaforismo conceptual, ejercicio superfluo y pedante del pensar y del sentir, que pretende asombrar por lo difícil, y cuya oquedad no advierten los papanatas.»

El párrafo es violento, acaso injusto. Encierra, no obstante, alguna verdad. Porque Mairena vio claramente que

el tan decantado dinamismo de lo barroco es más aparente que real, y más que la expresión de una fuerza
actuante, el gesto hinchado que sobrevive a un esfuerzo
extinguido.

Acaso puede argüirse a Mairena que, bajo la denomi-
nación de barroco literario, comprende la corriente culterana y la conceptista, sin hacer de ambas suficiente dis-
tinción. Mairena, sin embargo, no las cofunde, sino que
las ataca en su raíz común. Fiel a su maestro Abel Martín,
Mairena no ve en las formas literarias sino contornos más
o menos momentáneos de una materia en perpetuo cambio, y sostiene que es esta materia, este contenido, lo que,
en primer término, conviene analizar. ¿En qué zona del
espíritu del poeta ha sido engendrado el poema, y qué es
lo que predominantemente contiene? Sigue un criterio
opuesto al de la crítica de su tiempo, que sólo veía en las
formas literarias moldes rígidos para rellenos de un
mazacote cualquiera, y cuyo contenido, por ende, no
interesa. Culteranismo y conceptismo son, pues, para
Mairena dos expresiones de una misma oquedad y cuya
concomitancia se explica por un creciente empobreci-
miento del alma española. La misma inopia de intuiciones que, incapaz de elevarse a las ideas, lleva al pensamiento conceptista, y de éste a la pura agudeza verbal,
crea la metáfora culterana, no menos conceptual que el
concepto conceptista, la seca y árida tropología gongori-
na, arduo trasiego de imágenes genéricas, en el fondo
puras definiciones, a un ejercicio de mera lógica, que sólo
una crítica inepta o un gusto depravado puede confundir
con la poesía.

«Claro es –añade Mairena, en previsión de fáciles
objeciones– que el talento poético de Góngora y el robusto ingenio de Quevedo, Gracián o Calderón son tan

patentes como la inanidad estética del culteranismo y el conceptismo.»

El barroco literario español, según Mairena, se caracteriza:

1.º *Por una gran pobreza de intuición.* ¿En qué sentido? En el sentido de experiencia externa o contacto directo con el mundo sensible; en el sentido de experiencia interna o contacto con lo inmediato psíquico, estados únicos de conciencia; en el sentido teórico de enfrentamiento con las ideas, esencias, leyes y valores como objetos de visión mental; y en el resto de las acepciones de esta palabra. «Las imágenes del barroco expresan, disfrazan o decoran conceptos, pero no contienen intuiciones.» «Con ellas –dice Mairena– se discurre o razona, aunque superflua y mecánicamente, pero de ningún modo se canta. Porque se puede razonar, en efecto, por medio de conceptos escuetamente lógicos, por medio de conceptos matemáticos –números y figuras– o por medio de imágenes, sin que el acto de razonar, discurrir entre lo definido, deje de ser el mismo: una función homogeneizadora del entendimiento que persigue igualdades –reales o convenidas–, eliminando diferencias. El empleo de imágenes, más o menos coruscantes, no puede nunca trocar una función esencialmente lógica en función estética, de sensibilidad. Si la lírica barroca, consecuente consigo misma, llegase a su realización perfecta, nos daría un álgebra de imágenes, fácilmente abarcable en un tratado al alcance de los estudiosos, y que tendría el mismo valor estético del álgebra propiamente dicha, es decir, un valor estéticamente nulo.»

2.º *Por su culto a lo artificioso y desdeño de lo natural.* «En las épocas en que el arte es realmente creador –dice Mairena– no vuelve nunca la espalda a la naturaleza, y entiendo por naturaleza todo lo que aún no es arte, incluyendo en ello el propio corazón del poeta. Porque si el artista ha de crear, y no a la manera del dios bíblico, necesita una materia que informar o transformar, que no ha de ser –¡claro está!– el arte mismo. Porque existe, en verdad, una forma de apatía estética, que pretende sustituir el arte por la naturaleza misma, se deduce, groserísimamente, que el artista puede ser creador prescindiendo de ella. Esa abeja que liba en la miel y no en las flores es más ajena a toda labor creadora que el humilde arrimador de documentos reales, o que el consabido espejo de lo real, que pretende darnos por arte la innecesaria réplica de cuanto no lo es.»

3.º *Por su carencia de temporalidad.* En su análisis del verso barroco, señala Mairena la preponderancia del sustantivo y su adjetivo definidor sobre las formas temporales del verbo, el empleo de la rima con carácter más ornamental que melódico y el total olvido de su valor mnemónico.

«La rima –dice Mairena– es el encuentro, más o menos reiterado, de un sonido con el recuerdo de otro. Su monotonía es más aparente que real, porque son elementos distintos, acaso heterogéneos, sensación y recuerdo, los que en la rima se conjugan; con ellos estamos dentro y fuera de nosotros mismos. Es la rima un buen artificio, aunque no el único, para poner la palabra en el tiempo. Pero cuando la rima se complica con excesivos entrecruzamientos y se distancia, hasta tal punto que ya no se conjugan sensación y recuerdo, porque el recuerdo se ha extinguido cuando la sensación se repite, la rima es entonces un artificio superfluo. Y los que suprimen la rima –esa tardía invención de la métrica–, juzgándola innecesaria, suelen olvidar que lo esencial en ella es su función temporal, y que su ausencia les obliga a buscar algo que la sustituya; que la poesía lleva muchos siglos cabalgando sobre asonancias y consonancias, no por capricho de la incultura medieval, sino porque el sentimiento del tiempo, que algunos llaman impropiamente sensación de tiempo, no contiene otros elementos que los señalados en la rima: sensación y recuerdo. Mas en el verso barroco la rima tiene, en efecto, un carácter ornamental. Su primitiva misión de conjugar sensación y recuerdo, para crear así la emoción del tiempo, queda olvidada. Y es que el verso barroco, culterano o conceptista, no contiene elementos temporales, puesto que conceptos e imágenes conceptuales son –habla siempre Mairena– esencialmente ácronos.»

4.º *Por su culto a lo difícil artificial y su ignorancia de las dificultades reales.* «La dificultad no tiene por sí misma valor estético, ni de ninguna otra clase –dice Mairena–. Se aplaude con razón el acto de atacarla y vencerla; pero no es lícito crearla artificialmente para ufanarse de ella. Lo clásico, en verdad, es vencerla, eliminarla; lo barroco, exhibirla. Para el pensamiento barroco, esencialmente plebeyo, lo difícil es siempre precioso: un soneto valdrá más que una copla en asonante, y el acto de engendrar un chico, menos que el de romper un adoquín con los dientes.»

5.º *Por su culto a la expresión indirecta, perifrástica, como si ella tuviera por sí misma un valor estético.* «Porque no existe perfecta conmensurabilidad –dice Mairena– entre el sentir y el hablar, el poeta ha acudido siempre a formas indirectas de expresión, que pretenden ser las que directamente expresen lo inefable. Es la manera más sencilla, más recta y más inmediata de rendir lo intuido en cada momento psíquico, lo que el poeta busca, porque todo lo demás tiene formas adecuadas de expresión en el lenguaje conceptual. Para ello acude siempre a imágenes singulares, o singularizadas, es decir, a imágenes que no puedan encerrar conceptos, sino intuiciones, entre las cuales establece relaciones capaces de crear a la postre nuevos conceptos. El poeta barroco, que ha visto el problema precisamente al revés, emplea las imágenes para adornar y disfrazar conceptos, y confunde la metáfora esencialmente poética con el eufemismo de negro catedrático. El *oro cano,* el *pino cuadrado,* la *flecha alada,* el *áspid de metal,* son, en efecto, maneras bien estúpidas de aludir a la plata, a la mesa, a la flecha y a la pistola.»

6.º *Por su carencia de gracia.* «La tensión barroca –dice Mairena–, con su fría vehemencia, su aparato de fuerza y falso dinamismo, su torcer y desmesurar arbitrarios –sintaxis hiperbática e imaginería hiperbólica–, con su empeño de desnaturalizar una lengua viva para ajustarla bárbaramente a los esquemas más complicados de una lengua muerta, con su hinchazón y amaneramiento y superfluo artificio, podrá, en horas de agotamiento o perversión del gusto, producir un efecto que, mal analizado, se parezca a una emoción estética. Pero hay algo a lo que el barroco ha de renunciar, pues ni la mera apariencia le es dado contrahacer: la calidad de lo gracioso, que sólo se produce cuando el arte, de puro maestro, llega al olvido de sí mismo, y a hacerse perdonar su necesario apartamiento de la Naturaleza.»

7.º *Por su culto supersticioso a lo aristocrático.* Hablando de Góngora, dice Juan de Mairena: «Cuanto hay en él apoyado en *folklore* tiende a ser, más que lo popular (tan finamente captado por Lope), lo apicarado y grosero. Sin embargo, lo verdaderamente plebeyo de Góngora es el gongorismo. Enfrente de Lope, tan íntegramente español como hombre de la corte, Góngora será siempre un pobre cura provinciano.» Y en verdad que la «obsesión de lo distinguido y aristocrático no ha producido en arte más que ñoñeces. El vulgo en arte, es decir, el vulgo a que suele aludir el artista, es, en cierto modo, una invención de los pedantes, mejor diré: un ente de ficción que el pedante fabrica con su propia sustancia». «Ningún espíritu creador –añade Mairena– en sus momentos realmente creadores pudo pensar más que en el hombre, en el hombre esencial que ve en sí mismo, y que supone en su vecino. Que existe una masa desatenta, incomprensiva, ignorante, ruda, el artista no lo ha ignorado nunca. Pero una de dos: o la obra del artista alcanza y penetra, en más o en menos, a esa misma masa bárbara, que deja de ser vulgo *ipso facto* para convertirse en público de arte, o encuentra en ella una completa impermeabilidad, una total indiferencia. En este caso, el vulgo propiamente dicho no guarda ya relación alguna con la obra de arte y no puede ser objeto de obsesión para el artista. Pero el vulgo del culterano, del preciosista, del pedante, es una masa de papanatas, a la cual se asigna una función positiva: la de rendir al artista un tributo de asombro y de admiración incomprensiva.»

En suma, Mairena no se chupa el dedo en su análisis del barroco literario español. Más adelante añade –en previsión de fáciles objeciones– que él no ignora cómo en toda época, de apogeo o de decadencia, ascendente o declinante, lo que se produce es lo único que puede producirse, y que aun las más patentes perversiones del gusto, cuando son realmente actuales, tendrán siempre una sutil abogacía que defiende sus mayores desatinos. Y en verdad que esa abogacía no defiende, en el fondo, ni tales perversiones ni tales desatinos, sino a un espíritu incapaz

de producir otra cosa. Lo más inepto contra el culteranismo lo hizo Quevedo, publicando los versos de fray Luis
de León. Fray Luis de León fue todavía un poeta, pero el
sentimiento místico que alcanzó en él una admirable
expresión de remanso, distaba ya tanto de Góngora como
de Quevedo, era precisamente lo que ya no podía cantar,
algo definitivamente muerto a manos del espíritu jesuítico imperante.

LA METAFÍSICA DE JUAN DE MAIRENA

«Todo poeta –dice Juan de Mairena– supone una metafísica; acaso cada poema debiera tener la suya implícita,
claro está, nunca explícita, y el poeta tiene el deber de
exponerla, por separado, en conceptos claros. La posibilidad de hacerlo distingue al verdadero poeta del mero
señorito que compone versos» *(Los siete reversos,* página 192). Digamos algunas palabras sobre la metafísica de
Juan de Mairena.

Su punto de partida está en un pensamiento de su
maestro Abel Martín. Dios no es el creador del mundo,
sino el ser absoluto, único y real, más allá del cual nada es.
No hay problema genético de lo que es. El mundo es sólo
un aspecto de la divinidad; de ningún modo una creación
divina. Siendo el mundo real, y la realidad única y divina,
hablar de una creación del mundo equivaldría a suponer
que Dios se creaba a sí mismo. Tampoco el ser, la divinidad, plantea ningún problema metafísico. Cuanto es aparece; cuanto aparece, es. Todo el trabajo de la ciencia
–que Mairena admira y venera– consiste en descubrir
nuevas apariencias; es decir, nuevas apariciones del ser;
de ningún modo nos suministra razón alguna esencial

para distinguir entre lo real y lo aparente. Si el trabajo de la ciencia es infinito y nunca puede llegar a un término, no es porque busque una realidad que huye y se oculta tras una apariencia, sino porque lo real es una apariencia infinita, una constante e inagotable posibilidad de aparecer.

No hay, pues, problema del ser, de lo que aparece. Sólo lo que no es, lo que no aparece, puede constituir problema. Pero este problema no interesa tanto al poeta como al filósofo propiamente dicho. Para el poeta, el *no ser* es la creación divina, el milagro del *ser que se es*, el *fiat umbra!* a que Martín alude en su soneto inmortal *Al Gran Cero*, la palabra divina que al poeta asombra y cuya significación debe explicar el filósofo.

[II]

> Borraste el ser; quedó la nada pura.
> Muéstrame, ¡oh Dios!, la portentosa mano
> que hizo la sombra: la pizarra oscura
> donde se escribe el pensamiento humano.

(Abel Martín, *Los complementarios*)

O como más tarde dijo Mairena, glosando a Martín:

[III]

> Dijo Dios: Brote la nada.
> Y alzó la mano derecha,
> hasta ocultar su mirada.
> Y quedó la nada hecha.

Así simboliza Mairena, siguiendo a Martín, la creación divina, por un acto negativo de la divinidad, por un voluntario cegar del *gran ojo, que todo lo ve al verse a sí mismo.*

Se preguntará: ¿cómo, si no hay problema de lo que es, puesto que lo aparente y lo real son una y la misma cosa, o, dicho de otro modo, es lo real la suma de las apariciones del ser, puede haber una metafísica? A esta objeción respondía Mairena: «Precisamente la desproblematización del ser, que postula la absoluta realidad de lo aparente, pone *ipso facto* sobre el tapete el problema del *no ser,* y éste es el tema de toda futura metafísica». Es decir, que la metafísica de Mairena será la *ciencia del no ser,* de la absoluta irrealidad, o, como decía Martín, de las varias formas del cero. Esta metafísica es *ciencia de lo creado,* de la obra divina, de la pura nada, a la cual se llega por análisis de conceptos; sólo contiene, como la metafísica de escuela, pensamiento puro; pero se diferencia de ella en que no pretende definir al ser (no es, pues, ontología), sino a su contrario. Y le cuadra, en verdad, el nombre de metafísica: ciencia de lo que está más allá del ser, es decir, más allá de la física.

Los siete reversos es el tratado filosófico en que Mairena pretende enseñarnos los siete caminos por donde puede el hombre llegar a comprender la obra divina: la pura nada. Partiendo del pensamiento mágico de Abel Martín, *de la esencial heterogeneidad del ser, de la inmanente otredad del ser que se es, de la sustancia única, quieta y en perpetuo cambio, de la conciencia integral, o gran ojo...,* etc., es decir, del pensamiento poético, que acepta como principio evidente la realidad de todo contenido de conciencia, intenta Mairena la génesis del pensamiento lógico, de las formas homogéneas del pensar: la pura sustancia, el puro espacio, el puro tiempo, el puro movimiento, el puro reposo, el puro *ser que no es* y *la pura nada.*

El libro es extenso, contiene cerca de 500 páginas, en cuarto mayor. No fue leído en su tiempo. Ni aun lo cita Menéndez Pelayo en su índice expurgatorio del pensamiento español. Su lectura, sin embargo, debe recomendarse a los estudiosos. Su análisis detallado nos apartaría mucho del poeta. Quede para otra ocasión y volvamos ahora a las poesías de Juan de Mairena.

Sostenía Mairena que sus *Coplas mecánicas* no eran realmente suyas, sino de la *Máquina de trovar,* de Jorge Meneses. Es decir, que Mairena había imaginado un poeta, el cual, a su vez, había inventado un aparato, cuyas eran las coplas que daba a la estampa.

Diálogo entre Juan de Mairena y Jorge Meneses

MAIRENA. ¿Qué augura usted, amigo Meneses, del porvenir de la lírica?

MENESES. Pronto el poeta no tendrá más recurso que enfundar su lira y dedicarse a otra cosa.

MAIRENA. ¿Piensa usted?...

MENESES. Me refiero al poeta lírico. El sentimiento individual, mejor diré: el polo individual del sentimiento, que está en el corazón de cada hombre, empieza a no interesar, y cada día interesará menos. La lírica moderna, desde el declive romántico hasta nuestros días (los del simbolismo), es acaso un lujo, un tanto abusivo, del hombre manchesteriano, del individualismo burgués, basado en la propiedad privada. El poeta exhibe su corazón con la jactancia del burgués enriquecido que ostenta sus palacios, sus coches, sus caballos y sus queridas. El corazón del poeta, tan rico en sonoridades, es casi un insulto a la afonía cordial de la masa, esclavizada por el trabajo mecánico. La poesía lírica se engendra siempre en la zona central de nuestra *psique,* que es la del sentimiento; no hay lírica que no sea sentimental. Pero el sentimiento ha de tener tanto de individual como de genérico, porque aunque no existe un corazón en general, que sienta por todos, sino que cada hombre lleva el suyo y siente con él, todo sentimiento se orienta hacia valores universales, o que pretenden serlo. Cuando el sentimiento acorta su radio y no trasciende del yo aislado, acotado, vedado al prójimo, acaba por empobrecerse y, al fin, canta de falsete. Tal es el sentimiento burgués, que a mí me parece fracasado; tal es el fin de la sentimentalidad romántica. En suma, no hay sentimiento verdadero sin simpatía, el mero *pathos* no ejerce función cordial alguna, ni tampoco estética. Un corazón solitario –ha dicho no sé quién, acaso Pero Grullo– no es un corazón; porque nadie siente si no es capaz de sentir con otro, con otros…, ¿por qué no con todos?

MAIRENA. ¡Con todos! ¡Cuidado, Meneses!

MENESES. Sí, comprendo. Usted, como buen burgués, tiene la superstición de lo selecto, que es la más plebeya de todas. Es usted un cursi.

MAIRENA. Gracias.

MENESES. Le parece a usted que sentir con todos es convertirse en multitud, en masa anónima. Es precisamente lo contrario. Pero no divaguemos. Hay una crisis sentimental que afectará a la lírica, y cuyas causas son muy complejas. El poeta pretende cantarse a sí mismo, porque no encuentra temas de comunión cordial, de verdadero sentimiento. Con la ruina de la ideología romántica, toda una sentimentalidad, concomitantemente, se viene abajo. Es muy difícil que una nueva generación siga escuchando nuestras canciones. Porque lo que a usted le pasa, en el rinconcito de su sentir, que empieza a no ser comunicable, acabará por no ser nada. Una nueva poesía supone una nueva sentimentalidad, y ésta, a su vez, nuevos valores. Un himno patriótico nos conmueve a condición de que la patria sea para nosotros algo valioso; en caso contrario, ese himno nos parecerá vacío, falso, trivial o ramplón. Comenzamos a diputar insinceros a los románticos, declamatorios, hombres que simulan sentimientos, que, acaso, no experimentaban. Somos injustos. No es que ellos no sintieran; es, más bien, que nosotros no podemos sentir con ellos. No sé si esto lo comprende usted bien, amigo Mairena.

MAIRENA. Sí, lo comprendo. Pero usted, ¿no cree en una posible lírica intelectual?

MENESES. Me parece tan absurda como una geometría sentimental o un álgebra emotiva. Tal vez sea ésta la hazaña de los epígonos del simbolismo francés. Ya Mallarmé llevaba dentro el negro catedrático capaz de intentarla. Pero este camino no lleva a ninguna parte.

MAIRENA. ¿Qué hacer, Meneses?

MENESES. Esperar a los nuevos valores. Entretanto, como pasatiempo, simple juguete, yo pongo en marcha mi aristón poético o *máquina de trovar*. Mi modesto aparato no pretende sustituir ni suplantar al poeta (aunque puede con ventaja suplir al maestro de retórica), sino registrar de una manera objetiva el estado emotivo, sentimental, de un grupo humano, más o menos nutrido, como un termómetro registra la temperatura o un barómetro la presión atmosférica.

MAIRENA. ¿Cuantitativamente?

MENESES. No. Mi artificio no registra en cifras, no traduce a lenguaje cuantitativo la lírica ambiente, sino que
nos da su expresión objetiva, completamente desindivi-
dualizada, en un soneto, madrigal, jácara o letrilla que el
aparato compone y recita con asombro y aplauso de la
concurrencia. La canción que el aparato produce la reco-
nocen por suya todos cuantos la escuchan, aunque ninguno, en verdad, hubiera sido capaz de componerla. Es la
canción del grupo humano, ante el cual el aparato funciona. Por ejemplo, en una reunión de borrachos, aficionados al cante hondo, que corren una juerga de hombres
solos, a la manera andaluza, un tanto sombría, el aparato
registra la emoción dominante y la traduce en cuatro versos esenciales, que son su equivalente lírico. En una
asamblea política, o de militares, o de usureros, o de pro-
fesores, o de *sportmen,* produce otra canción, no menos
esencial. Lo que nunca nos da el aparato es la canción
individual, aunque el individuo esté caracterizado muy
enérgicamente, por ejemplo: *la canción del verdugo.* Nos
da, en cambio, si se quiere, la canción de los aficionados a
ejecuciones capitales, etc., etc.

MAIRENA. ¿Y en qué consiste el mecanismo de ese
aristón poético o máquina de cantar?

MENESES. Es muy complicado, y, sin auxilio gráfico,
sería difícil de explicar. Además, es mi secreto. Bástele a
usted, por ahora, conocer su función.

MAIRENA. ¿Y su manejo?

MENESES. Su manejo es más sencillo que el de una
máquina de escribir. Esta especie de piano-fonógrafo tiene un teclado dividido en tres sectores: el positivo, el
negativo y el hipotético. Sus fonogramas no son letras,
sino palabras. La concurrencia ante la cual funciona el
aparato elige, por mayoría de votos, el sustantivo que, en

el momento de la experiencia, considera más esencial, por ejemplo: *hombre,* y su correlato lógico, biológico, emotivo, etc., por ejemplo: *mujer.* El verbo siempre en función en las tres zonas del aparato, salvo el caso de sustitución por voluntad del manipulador, es el verbo objetivador, el verbo *ser,* en sus tres formas: *ser, no ser, poder ser,* o bien *es, no es, puede ser,* es decir, el verbo en sus formas positiva u ontológica, negativa o divina, e hipotética o humana. Ya contiene, pues, el aparato elementos muy esenciales para una copla: *es hombre, no es hombre, puede ser hombre, es mujer,* etc., etc. Los vocablos lógicamente rimados son *hombre* y *mujer;* los de la rima propiamente dicha: *mujer* y (puede) *ser.* Sólo el sustantivo *hombre* queda huérfano de rima sonora. El manipulador elige el fonograma lógicamente más afín, entre los consonantes, a *hombre,* es decir, *nombre.* Con estos ingredientes el manipulador intenta una o varias coplas, procediendo por tanteos, en colaboración con su público. Y comienza así:

Dicen (el sujeto suele ser un impersonal) *que el hombre no es hombre.*

Esta proposición esencialmente contradictoria la da mecánicamente el tránsito del sustantivo *hombre* de la primera a la segunda zona del aparato. Mi artificio no es, como el de Lulio, máquina de pensar, sino de anotar experiencias vitales, anhelos, sentimientos, y sus contradicciones no pueden resolverse lógica, sino psicológicamente. Por esta vía ha de resolverla el manipulador, y con los solos elementos de que aún dispone: *nombre* y *mujer.* Y es ahora el sustantivo *nombre* el que entra en función. El manipulador ha de colocarlo en la relación más esencial con *hombre* y *mujer,* que puede ser una de estas dos: el *nombre de un hombre* pronunciado por *una mujer,* o el *nombre de una mujer* pronunciado por *un hombre*. Tenemos ya el esquema de dos coplas posibles para expresar un sentimiento elementalísimo en una tertulia masculina: el sentimiento de la ausencia de la mujer, que nos da la razón psicológica que explica la contradicción lógica del verso inicial. El hombre no es hombre (lo es insuficientemente) para un grupo humano que define la hombría en función del sexo, bien por carencia de un nombre de mujer, el de la amada, que cada hombre puede pronunciar, bien por ausencia de mujer en cuyos labios suene el nombre de cada hombre.

Para abreviar, pongamos que el aristón nos da esta copla:

[IV]

Dicen que el hombre no es hombre
mientras que no oye su nombre
de labios de una mujer.
Puede ser.

Este *puede ser* no es ripio, aditamento inútil o parte muerta de la copla. Está en la zona tercera del teclado, y el manipulador pudo omitirlo. Pero lo hace sonar, a instancias de la concurrencia, que encuentra en él la expresión de su propio sentir, tras un momento de reflexión autoinspectiva. Producida la copla, puede cantarse en coro.

★ ★ ★

En el prólogo a sus *Coplas mecánicas* hace Mairena el elogio del artificio de Meneses. Según Mairena, el aristón poético es un medio, entre otros, de racionalizar la lírica, sin incurrir en el barroco conceptual. La sentencia, reflexión o aforismo que sus coplas contienen van necesariamente adheridos a una emoción humana. El poeta, inventor y manipulador del artificio mecánico, es un investigador y colector de sentimientos elementales; un *folklorista*, a su manera, y un creador impasible de canciones populares, sin incurrir nunca en el *pastiche* de lo popular. Prescinde de su propio sentir, pero anota el de su prójimo y lo reconoce en sí mismo como sentir humano (cuando lo advierte objetivado en su apartado), como expresión exacta del ambiente cordial que le rodea. Su aparato no ripia ni pedantea, y aun puede ser fecundo en sorpresas, registrar fenómenos emotivos extraños. Claro está que su valor, como el de otros inventos mecánicos, es más didáctico y pedagógico que estético. La *máquina de trovar*, en suma, puede entretener a las masas e iniciarlas en la expresión de su propio sentir, mientras llegan los nuevos poetas, los cantores de una nueva sentimentalidad.

CLXIX
Últimas lamentaciones de Abel Martín

(CANCIONERO APÓCRIFO)

Hoy, con la primavera,
soñé que un fino cuerpo me seguía
cual dócil sombra. Era
mi cuerpo juvenil, el que subía
5   de tres en tres peldaños la escalera.
—Hola, galgo de ayer. (Su luz de acuario
trocaba el hondo espejo
por agria luz sobre un rincón de osario.)
—¿Tú conmigo, rapaz?
                      —Contigo, viejo.
10   Soñé la galería
al huerto de ciprés y limonero;
tibias palomas en la piedra fría,
en el cielo de añil rojo pandero,
y en la mágica angustia de la infancia
15   la vigilia del ángel más austero.
La ausencia y la distancia
volví a soñar con túnicas de aurora;
firme en el arco tenso la saeta
del mañana, la vista aterradora
20   de la llama prendida en la espoleta
de su granada.
              ¡Oh Tiempo, oh Todavía
preñado de inminencias!,
tú me acompañas en la senda fría,
tejedor de esperanzas e impaciencias.

★ ★ ★

¡El tiempo y sus banderas desplegadas!   25
(¿Yo, capitán? Mas yo no voy contigo.)
¡Hacia lejanas torres soleadas
el perdurable asalto por castigo!

★   ★   ★

Hoy, como un día, en la ancha mar violeta
hunde el sueño su pétrea escalinata,   30
y hace camino la infantil goleta,
y le salta el delfín de bronce y plata.
    La hazaña y la aventura
cercando un corazón entelerido...
Montes de piedra dura   35
–eco y eco– mi voz han repetido.
    ¡Oh, descansar en el azul del día
como descansa el águila en el viento,
sobre la sierra fría,
segura de sus alas y su aliento!   40
    La augusta confianza
a ti, Naturaleza, y paz te pido,
mi tregua de temor y de esperanza,
un grano de alegría, un mar de olvido...

---

34. *Entelerido:* sobrecogido por el miedo o el frío.

Siesta

En memoria de Abel Martín

Mientras traza su curva el pez de fuego,
junto al ciprés, bajo el supremo añil,
y vuela en blanca piedra el niño ciego,
y en el olmo la copla de marfil
5   de la verde cigarra late y suena,
honremos al Señor
–la negra estampa de su mano buena–
que ha dictado el silencio en el clamor.
Al Dios de la distancia y de la ausencia,
10   del áncora en el mar, la plena mar...
Él nos libra del mundo –omnipresencia–,
nos abre senda para caminar.
Con la copa de sombra bien colmada,
con este nunca lleno corazón,
15   honremos al Señor que hizo la Nada
y ha esculpido en la fe nuestra razón.

1. *El pez de fuego:* el Sol.
3. *El niño ciego:* escultura de Cupido.

CLXXI
A la manera de Juan de Mairena

I

¡Torreperogil!
¡Quién fuera una torre, torre del campo
del Guadalquivir!

II

Sol en los montes de Baza.
Mágina y su nube negra.
En el Aznaitín afila
su cuchillo la tormenta.

III

En Garciez
hay más sed que agua;
en Jimena, más agua que sed.

IV

¡Qué bien los nombres ponía
quien puso Sierra Morena
a esta serranía!

V

En Alicún se cantaba:
«Si la luna sale,
mejor entre los olivos
que en los espartales».

VI

Y en la Sierra de Quesada:
«Vivo en pecado mortal:
no te debiera querer;
por eso te quiero más».

VII

Tiene una boca de fuego
y una cintura de azogue.
              Nadie la bese.
              Nadie la toque.
5   Cuando el látigo del viento
suena en el campo: ¡amapola!
(como llama que se apaga
o beso que no se logra)
su nombre pasa y se olvida.
10 Por eso nadie la nombra.
      Lejos, por los espartales,
mas allá de los olivos,
hacia las adelfas
y los tarayes del río,
15 con esta luna de la madrugada,
¡amazona gentil del campo frío!...

VII.14. *Taray:* arbusto de flores pequeñas y frutos secos.

188

CLXXII
(Abel Martín)

Los complementarios
(Cancionero apócrifo)

<small>RECUERDOS DE SUEÑO, FIEBRE Y DUERMIVELA</small>

I

Esta maldita fiebre
que todo me lo enreda,
siempre diciendo: ¡claro!
Dormido estás: despierta.
¡Masón, masón!
          Las torres   5
bailando están en rueda.
Los gorriones pían
bajo la lluvia fresca.
¡Oh, claro, claro, claro!
Dormir es cosa vieja,   10
y el toro de la noche
bufando está a la puerta.
A tu ventana llego
con una rosa nueva,
con una estrella roja   15
y la garganta seca.
¡Oh, claro, claro, claro!
¿Velones? En Lucena.
¿Cuál de las tres? Son una

20 Lucía, Inés, Carmela;
y el limonero baila
con la encinilla negra.
¡Oh, claro, claro, claro!
Dormido estás. Alerta.
25 Mili, mili, en el viento;
glu-glu, glu-glu, en la arena.
Los tímpanos del alba,
¡qué bien repiquetean!
¡Oh, claro, claro, claro!

II

En la desnuda tierra...

III

Era la tierra desnuda,
y un frío viento, de cara,
con nieve menuda.
  Me eché a caminar
5 por un encinar de sombra:
la sombra de un encinar.
  El sol las nubes rompía
con sus trompetas de plata.
La nieve ya no caía.
10 La vi un momento asomar
en las torres del olvido.
Quise y no pude gritar.

IV

¡Oh, claro, claro, claro!
Ya están los centinelas
alertos. ¡Y esta fiebre
que todo me lo enreda!...
Pero a un hidalgo no   5
se ahorca; se degüella,
seor verdugo. ¿Duermes?
Masón, masón, despierta.
Nudillos infantiles
y voces de muñecas.   10

★ ★ ★

¡Tan-tan! ¿Quién llama, di?
–¿Se ahorca a un inocente
en esta casa?
                    –Aquí
se ahorca, simplemente.

★ ★ ★

¡Qué vozarrón! Remacha   15
el clavo en la madera.
Con esta fiebre... ¡Chito!
Ya hay público a la puerta.
La solución más linda
del último problema.   20
Vayan pasando, pasen;
que nadie quede fuera.

★ ★ ★

IV.7. *Seor:* síncopa de «señor».

          –¡Sambenitado, a un lado!
          –¿Eso será por mí?
25   –¿Soy yo el sambenitado,
          señor verdugo?

                              –Sí.

                    ★ ★ ★

              ¡Oh, claro, claro, claro!
          Se da trato de cuerda,
          que es lo infantil, y el trompo
30   de música resuena.
          Pero la guillotina,
          una mañana fresca...
          Mejor el palo seco,
          y su corbata hecha.
35   ¿Guitarras? No se estilan.
          Fagotes y cornetas,
          y el gallo de la aurora,
          si quiere. ¿La reventa
          la hacen los curas? ¡Claro!
40   ¡¡¡Sambenitón, despierta!!!

                      v

          Con esta bendita fiebre
          la luna empieza a tocar
          su pandereta; y danzar

25. *Sambenitado:* penitente juzgado por la Inquisición, que debía llevar
un capotillo o un escapulario.
34. *Corbata hecha:* alude a la argolla de hierro que oprimía hasta la
muerte el cuello del condenado.

quiere, a la luna, la liebre.
De encinar en encinar   5
saltan la alondra y el día.
En la mañana serena
hay un latir de jauría,
que por los montes resuena.
Duerme. ¡Alegría! ¡Alegría!   10

VI

Junto al agua fría,
en la senda clara,
sombra dará algún día
ese arbolillo en que nadie repara.
Un fuste blanco y cuatro verdes hojas   5
que, por abril, le cuelga primavera,
y arrastra el viento de noviembre, rojas.
Su fruto, sólo un niño lo mordiera.
Su flor, nadie la vio. ¿Cuándo florece?
Ese arbolillo crece   10
no más que para el ave de una cita,
que es alma –canto y plumas– de un instante,
un pajarillo azul y petulante
que a la hora de la tarde lo visita.

VII

¡Qué fácil es volar, qué fácil es!
Todo consiste en no dejar que el suelo
se acerque a nuestros pies.
Valiente hazaña, ¡el vuelo!, ¡el vuelo!, ¡el vuelo!

193

¡Volar sin alas donde todo es cielo!
Anota este jocundo
pensamiento: Parar, parar el mundo
entre las puntas de los pies,
5   y luego darle cuerda del revés,
para verlo girar en el vacío,
coloradito y frío,
y callado –no hay música sin viento–.
¡Claro, claro! ¡Poeta y cornetín
10   son de tan corto aliento!...
Sólo el silencio y Dios cantan sin fin.

IX

Pero caer de cabeza,
en esta noche sin luna,
en medio de esta maleza,
junto a la negra laguna...

★ ★ ★

5   –¿Tú eres Caronte, el fúnebre barquero?
Esa barba limosa...

               –¿Y tú, bergante?
–Un fúnebre aspirante
de tu negra barcaza a pasajero,
que al lago irrebogable se aproxima.
10   –¿Razón?

IX.6. *Limosa:* llena de barro.
9. *Irrebogable:* que no se puede volver a navegar.

194

–La ignoro. Ahorcome un peluquero.
–(Todos pierden memoria en este clima.)
–¿Delito?
      –No recuerdo.
              –¿Ida, no más?
–¿Hay vuelta?
       –Sí.
          –Pues ida y vuelta, ¡claro!
–Sí, claro.., y no tan claro: eso es muy caro.
Aguarda un momentín, y embarcarás.   15

X

¡Bajar a los infiernos como el Dante!
¡Llevar por compañero
a un poeta con nombre de lucero!
¡Y este fulgor violeta en el diamante!
Dejad toda esperanza... Usted, primero.   5
¡Oh, nunca, nunca, nunca! Usted delante.

*   *   *

Palacios de mármol, jardín con cipreses,
naranjos redondos y palmas esbeltas.
Vueltas y revueltas,
eses y más eses.   10
«Calle del Recuerdo.» Ya otra vez pasamos
por ella. «Glorieta de la Blanca Sor.»
«Puerta de la Luna.» Por aquí ya entramos.

X.5. Es la inscripción que lee Dante al adentrarse en el mundo de los condenados: «Abandonad toda esperanza los que entráis».

«Calle del Olvido.» Pero ¿adónde vamos
por estas malditas andurrias, señor?
　　–Pronto te cansas, poeta.
–«Travesía del Amor»...
¡y otra vez la «Plazoleta
del Desengaño Mayor»!...

XI

–Es ella... Triste y severa.
Di, más bien, indiferente
como figura de cera.

★　★　★

–Es ella... Mira y no mira.
–Pon el oído en su pecho
y, luego, dile: respira.

★　★　★

–No alcanzo hasta el mirador.
–Háblale.
　　　　–Si tú quisieras...
–Más alto.
　　　　... darme esa flor.
¿No me respondes, bien mío?
¡Nada, nada!
Cuajadita con el frío
se quedó en la madrugada.

¡Oh, claro, claro, claro!
Amor siempre se hiela.
¡Y en esa «Calle Larga»
con reja, reja y reja,
cien veces, platicando   5
con cien galanes, ella!
¡Oh, claro, claro, claro!
Amor es calle entera,
con celos, celosías,
canciones a las puertas...   10
Yo traigo un do de pecho
guardado en la cartera.
¿Qué te parece?
                    –Guarda.
Hoy cantan las estrellas,
y nada más.
                    –¿Nos vamos?   15
–Tira por esa calleja.
–Pero ¿otra vez empezamos?
«Plaza Donde Hila la Vieja.»
Tiene esta plaza un relente...
¿Seguimos?
                    –Aguarda un poco.   20
Aquí vive un cura loco
por un lindo adolescente.
Y aquí pena arrepentido,
oyendo siempre tronar,
y viendo serpentear   25
el rayo que lo ha fundido.
«Calle de la Triste Alcuza.»

27. *Alcuza*: vasija en que se guarda el aceite.

–Un barrio feo. Gentuza.
¡Alto!... «Pretil del Valiente.»
–Pregunta en el tres.

–¿Manola?

–Aquí. Pero duerme sola:
está de cuerpo presente.
¡Claro, claro! Y siempre clara,
le da la luna en la cara.
–¿Rezamos?

–No. Vamonós...

Si la madeja enredamos
con esta fiebre, ¡por Dios!,
ya nunca la devanamos.
... Sí, cuatro igual dos y dos.

CLXXIII
(Canciones a Guiomar)

I

No sabía
si era un limón amarillo
lo que tu mano tenía,
o el hilo de un claro día,
Guiomar, en dorado ovillo.   5
Tu boca me sonreía.

Yo pregunté: ¿Qué me ofreces?
¿Tiempo en fruto, que tu mano
eligió entre madureces
de tu huerta?   10

¿Tiempo vano
de una bella tarde yerta?
¿Dorada ausencia encantada?
¿Copia en el agua dormida?
¿De monte en monte encendida,   15
la alborada
verdadera?

¿Rompe en sus turbios espejos
amor la devanadera
de sus crepúsculos viejos?   20

CLXXIII. El nombre de Guiomar aparece en romances moriscos. También se usó en Castilla y Portugal hasta el siglo xv (así se llamaba la mujer de Jorge Manrique, uno de los poetas preferidos de Machado).

En un jardín te he soñado,
alto, Guiomar, sobre el río,
jardín de un tiempo cerrado
con verjas de hierro frío.

25   Un ave insólita canta
en el almez, dulcemente,
junto al agua viva y santa,
toda sed y toda fuente.

    En ese jardín, Guiomar,
30 el mutuo jardín que inventan
dos corazones al par,
se funden y complementan
nuestras horas. Los racimos
de un sueño –juntos estamos–
35 en limpia copa exprimimos,
y el doble cuento olvidamos.

    (Uno: Mujer y varón,
aunque gacela y león,
llegan juntos a beber.
40 El otro: No puede ser
amor de tanta fortuna:
dos soledades en una,
ni aun de varón y mujer.)

★ ★ ★

Por ti la mar ensaya olas y espumas,
45 y el iris, sobre el monte, otros colores,

---

26. *Almez:* árbol de la familia de las ulmáceas, de unos doce a catorce metros de altura.

y el faisán de la aurora canto y plumas,
y el búho de Minerva ojos mayores.
Por ti, ¡oh, Guiomar!...

III

Tu poeta
piensa en ti. La lejanía
es de limón y violeta,   50
verde el campo todavía.
Conmigo vienes, Guiomar;
nos sorbe la serranía.
De encinar en encinar
se va fatigando el día.   55
El tren devora y devora
día y riel. La retama
pasa en sombra; se desdora
el oro de Guadarrama.
Porque una diosa y su amante   60
huyen juntos, jadeante,
los sigue la luna llena.
El tren se esconde y resuena
dentro de un monte gigante.
Campos yermos, cielo alto.   65
Tras los montes de granito
y otros montes de basalto,
ya es la mar y el infinito.
Juntos vamos; libres somos.
Aunque el Dios, como en el cuento   70

47. *Minerva:* diosa romana símbolo de la inteligencia y de la sabiduría.
Suele aparecer acompañada de una lechuza.

fiero rey, cabalgue a lomos
del mejor corcel del viento,
aunque nos jure, violento,
su venganza,
75 aunque ensille el pensamiento,
libre amor, nadie lo alcanza.

★ ★ ★

Hoy te escribo en mi celda de viajero,
a la hora de una cita imaginaria.
Rompe el iris al aire el aguacero,
80 y al monte su tristeza planetaria.
Sol y campanas en la vieja torre.
¡Oh, tarde viva y quieta
que opuso al *panta rhei* su *nada corre*,
tarde niña que amaba tu poeta!
85 ¡Y día adolescente
–ojos claros y músculos morenos–,
cuando pensaste a Amor, junto a la fuente,
besar tus labios y apresar tus senos!
Todo a esta luz de Abril se transparenta;
90 todo en el hoy de ayer, el Todavía
que en sus maduras horas
el tiempo canta y cuenta,
se funde en una sola melodía,
que es un coro de tardes y de auroras.
95 A ti, Guiomar, esta nostalgia mía.

---

83. *Panta rhei*: es una expresión griega que significa 'todo pasa', 'todo fluye'. Fue el lema del filósofo Heráclito.

CLXXIV
Otras canciones a Guiomar

(A LA MANERA DE ABEL MARTÍN Y DE JUAN DE MAIRENA)

I

¡Sólo tu figura,
como una centella blanca,
en mi noche oscura!

★   ★   ★

¡Y en la tersa arena,
cerca de la mar,   5
tu carne rosa y morena,
súbitamente, Guiomar!

★   ★   ★

En el gris del muro,
cárcel y aposento,
y en un paisaje futuro   10
con sólo tu voz y el viento;

★   ★   ★   ★

CLXXIV. Aparecen en *Poesías completas* (1936). En *Juan de Mairena* de este año se comentan, en otro orden, algunos fragmentos y se añade otro trozo que podría ir colocado entre el VI y el VII. Véase el Apéndice, págs. 252-255.

en el nácar frío
de tu zarcillo en mi boca,
Guiomar, y en el calofrío
15 de una amanecida loca;

*   *   *

asomada al malecón
que bate la mar de un sueño,
y bajo el arco del ceño
de mi vigilia, a traición,
¡siempre tú!
20   Guiomar, Guiomar,
mírame en ti castigado:
reo de haberte creado,
ya no te puedo olvidar.

II

Todo amor es fantasía;
25 él inventa el año, el día,
la hora y su melodía;
inventa el amante y, más,
la amada. No prueba nada,
contra el amor, que la amada
30 no haya existido jamás.

III

Escribiré en tu abanico:
te quiero para olvidarte,
para quererte te olvido.

14. *Calofrío:* escalofrío.
21-33. Estos versos hicieron pensar a algunos críticos que Guiomar no
había existido.

IV

Te abanicarás
con un madrigal que diga: 35
en amor el olvido pone la sal.

V

Te pintaré solitaria
en la urna imaginaria
de un daguerrotipo viejo,
o en el fondo de un espejo,   40
viva y quieta,
olvidando a tu poeta.

VI

Y te enviaré mi canción:
«Se canta lo que se pierde»,
con un papagayo verde   45
que la diga en tu balcón.

VII

Que apenas si de amor el ascua humea
sabe el poeta que la voz engola
y, barato cantor, se pavonea
con su pesar o enluta su viola;   50
y que si amor da su destello, sola
la pura estrofa suena,
fuente de monte, anónima y serena.

Bajo el azul olvido, nada canta,
ni tu nombre ni el mío, el agua santa.   55
Sombra no tiene de su turbia escoria
limpio metal; el verso del poeta
lleva el ansia de amor que lo engendrara
como lleva el diamante sin memoria
–frío diamante– el fuego del planeta   60
trocado en luz, en una joya clara...

VIII

Abre el rosal de la carroña horrible
su olvido en flor, y extraña mariposa,
jalde y carmín, de vuelo imprevisible,
salir se ve del fondo de una fosa.   65
Con el terror de víbora encelada,
junto al lagarto frío,
con el absorto sapo en la azulada
libélula que vuela sobre el río,
con los montes de plomo y de ceniza,   70
sobre los rubios agros
que el sol de mayo hechiza,
se ha abierto un abanico de milagros
–el ángel del poema lo ha querido–
en la mano creadora del olvido...   75
....

64. *Jalde:* amarillo fuerte.

CLXXV
(Muerte de Abel Martín)

> Pensando que no veía
> porque Dios no le miraba,
> dijo Abel cuando moría:
> Se acabó lo que se daba.
>
> J. DE MAIRENA: *Epigramas*

I

Los últimos vencejos revolean
en torno al campanario;
los niños gritan, saltan, se pelean.
En su rincón, Martín el solitario.
¡La tarde, casi noche, polvorienta,   5
la algazara infantil, y el vocerío,
a la par, de sus doce en sus cincuenta!

★ ★ ★

¡Oh alma plena y espíritu vacío,
ante la turbia hoguera
con llama restallante de raíces,   10
fogata de frontera
que ilumina las hondas cicatrices!

★ ★ ★

Quien se vive se pierde, Abel decía.
¡Oh, distancia, distancia!, que la estrella
que nadie toca, guía.
¿Quién navegó sin ella?
Distancia para el ojo –¡oh lueñe nave!–,
ausencia al corazón empedernido,
y bálsamo suave
con la miel del amor, sagrado olvido.
¡Oh gran saber del cero, del maduro
fruto sabor que sólo el hombre gusta,
agua de sueño, manantial oscuro,
sombra divina de la mano augusta!
Antes me llegue, si me llega, el Día,
la luz que ve, increada,
ahógame esta mala gritería,
Señor, con las esencias de tu Nada.

II

El ángel que sabía
su secreto salió a Martín al paso.
Martín le dio el dinero que tenía.
¿Piedad? Tal vez. ¿Miedo al chantaje? Acaso.
Aquella noche fría
supo Martín de soledad; pensaba
que Dios no le veía,
y en su mundo desierto caminaba.

Y vio la musa esquiva,
de pie junto a su lecho, la enlutada,
la dama de sus calles, fugitiva,
la imposible al amor y siempre amada.   40
Díjole Abel: Señora,
por ansia de tu cara descubierta,
he pensado vivir hacia la aurora
hasta sentir mi sangre casi yerta.
Hoy sé que no eres tú quien yo creía;   45
mas te quiero mirar y agradecerte
lo mucho que me hiciste compañía
con tu frío desdén.
                Quiso la muerte
sonreír a Martín, y no sabía.

IV

Viví, dormí, soñé y hasta he creado   50
–pensó Martín, ya turbia la pupila–
un hombre que vigila
el sueño, algo mejor que lo soñado.
Mas si un igual destino
aguarda al soñador y al vigilante,   55
a quien trazó caminos,
y a quien siguió caminos, jadeante,
al fin, sólo es creación tu pura nada,
tu sombra de gigante,
el divino cegar de tu mirada.   60

V

    Y sucedió a la angustia la fatiga,
que siente su esperar desesperado,
la sed que el agua clara no mitiga,
la amargura del tiempo envenenado.

65 ¡Esta lira de muerte!

              Abel palpaba
su cuerpo enflaquecido.
¿El que todo lo ve no le miraba?
¡Y esta pereza, sangre del olvido!
¡Oh, sálvame, Señor!

               Su vida entera,

70 su historia irremediable aparecía
escrita en blanda cera.
¿Y ha de borrarte el sol del nuevo día?
Abel tendió su mano
hacia la luz bermeja

75 de una caliente aurora de verano,
ya en el balcón de su morada vieja.
Ciego, pidió la luz que no veía.
Luego llevó, sereno,
el limpio vaso, hasta su boca fría,

80 de pura sombra –¡oh, pura sombra!– lleno.

79-80. El «vaso lleno de pura sombra» es una metáfora de la muerte.

CLXXVI

(Otro clima)

¡Oh, cámaras del tiempo y galerías
del alma!, ¡tan desnudas!,
dijo el poeta. De los claros días
pasan las sombras mudas.
Se apaga el canto de las viejas horas   5
cual rezo de alegrías enclaustradas;
el tiempo lleva un desfilar de auroras
con séquito de estrellas empañadas.
¿Un mundo muere? ¿Nace
un mundo? ¿En la marina   10
panza del globo hace
nueva nave su estela diamantina?
¿Quillas al sol la vieja flota yace?
¿Es el mundo nacido en el pecado,
el mundo del trabajo y la fatiga?   15
¿Un mundo nuevo para ser salvado
otra vez? ¡Otra vez! Que Dios lo diga.
Calló el poeta, el hombre solitario,
porque un aire de cielo aterecido
le amortecía el fino estradivario.   20
Sangrábale el oído.
Desde la cumbre vio el desierto llano
con sombras de gigantes con escudos,
y en el verde fragor del oceano

19. *Aterecido:* temblando de frío.
20. *Estradivario:* violín fabricado en el siglo XVIII por el famoso Antonio Stradivario.

25   torsos de esclavos jadear desnudos.
Y un *nihil* de fuego escrito
tras de la selva huraña,
en áspero granito,
y el rayo de un camino en la montaña...

Poemas de la guerra

1
Romance infantil

La primavera ha venido
del brazo de un capitán.
Cantad niñas, en corro:
¡Viva Fermín Galán!
....

La primavera ha venido   5
y don Alfonso se va.
Muchos duques le acompañan
hasta cerca de la mar.
Las cigüeñas de las torres
quisieran verlo embarcar...   10

4. El militar Fermín Galán (1899-1930) tomó parte en la conspiración de la noche de San Juan (1926) contra la Dictadura de Primo de Rivera, por lo que fue degradado y encarcelado durante tres años. Amnistiado en 1930 y repuesto en su grado de capitán, el 12 de diciembre de ese año se sublevó en Jaca y proclamó la República, pero su movimiento no fue secundado como esperaba. Dos días después se le fusiló tras un consejo de guerra sumarísimo. Machado comenta así el origen de esta poesía: «Florecía la sangre de los héroes de Jaca, y el nombre abrileño del capitán muerto y enterrado bajo las nieves del invierno era evocado por una canción que yo oí cantar o soñé que cantaban los niños de aquellas horas». En 1931, Rafael Alberti había convertido a Galán en protagonista de un drama.

2

¡Madrid, Madrid! ¡qué bien tu nombre suena,
rompeolas de todas las Españas!
La tierra se desgarra, el cielo truena,
tú sonríes con plomo en las entrañas.

Madrid, 7 de noviembre de 1936

1. Los homenajes al Madrid bombardeado durante la guerra abunda-
ron en la zona republicana. Para estos cuatro versos, de los que destaca
la personificación del último, Machado adaptó una imagen que ya
había empleado en su poema a Grandmontagne, incluido en *Nuevas
canciones*: «En este remolino de España, rompeolas / de las cuarenta y
nueve provincias españolas». Alberti escribirá: «Madrid, corazón de
España, / late con pulsos de fiebre. / Si ayer la sangre le hervía, hoy con
más calor le hierve». El poema de Machado está fechado el 7 de noviembre de 1936, día en que Madrid sufrió el primer intento frustrado de las
tropas nacionales de entrar en la capital. Véanse las páginas 267-269.

3
El crimen fue en Granada★:
a Federico García Lorca

I

EL CRIMEN

Se le vio, caminando entre fusiles,
por una calle larga,
salir al campo frío,
aún con estrellas, de la madrugada.
Mataron a Federico   5
cuando la luz asomaba.
El pelotón de verdugos
no osó mirarle la cara.
Todos cerraron los ojos;
rezaron: ¡ni Dios te salva!   10
Muerto cayó Federico
–sangre en la frente y plomo en las entrañas–
... Que fue en Granada el crimen
sabed –¡pobre Granada!–, en su Granada...

II

EL POETA Y LA MUERTE

Se le vio caminar solo con Ella,   15
sin miedo a su guadaña.
–Ya el sol en torre y torre; los martillos

★ Este poema se publicó en *Ayuda* el 17 de octubre de 1936.

en yunque –yunque y yunque de las fraguas.
Hablaba Federico,
20 requebrando a la muerte. Ella escuchaba.
«Porque ayer en mi verso, compañera,
sonaba el golpe de tus secas palmas,
y diste el hielo a mi cantar, y el filo
a mi tragedia de tu hoz de plata,
25 te cantaré la carne que no tienes,
los ojos que te faltan,
tus cabellos que el viento sacudía,
los rojos labios donde te besaban...
Hoy como ayer, gitana, muerte mía,
30 qué bien contigo a solas,
por estos aires de Granada, ¡mi Granada!»

III

Se le vio caminar...
                    Labrad, amigos,
de piedra y sueño, en el Alhambra,
un túmulo al poeta,
35 sobre una fuente donde llore el agua,
y eternamente diga:
el crimen fue en Granada, ¡en su Granada!

4
Meditación del día

Frente a la palma de fuego
que deja el sol que se va,
en la tarde silenciosa
y en este jardín de paz,
mientras Valencia florida   5
se bebe el Guadalaviar
–Valencia de finas torres,
en el lírico cielo de Ausiàs March,
trocando su río en rosas
antes que llegue a la mar–,   10
pienso en la guerra. La guerra
viene como un huracán
por los páramos del alto Duero,
por las llanuras de pan llevar,
desde la fértil Extremadura   15
a estos jardines de limonar,
desde los grises cielos astures
a las marismas de luz y sal.
Pienso en España vendida toda
de río a río, de monte a monte,
                    de mar a mar.   20

Valencia, febrero de 1937

---

8. Ausiàs March (1397-1459) fue el poeta que llevó a la cumbre la poesía catalana medieval. Su obra, agrupada en una serie de cantos, expresa
su lucha para llegar al amor perfecto.

5
Meditación

Ya va subiendo la luna
sobre el naranjal.
Luce Venus como una
pajarita de cristal.

5   Ámbar y berilo,
tras de la sierra lejana,
el cielo, y de porcelana
morada en el mar tranquilo.

   Ya es de noche en el jardín
10   –¡el agua en sus atanores!–
y sólo huele a jazmín,
ruiseñor de los olores.

   ¡Cómo parece dormida
la guerra, de mar a mar,
15   mientras Valencia florida
se bebe el Guadalaviar!

   Valencia de finas torres
y suaves noches, Valencia,
¡estaré contigo,
20   cuando mirarte no pueda,
donde crece la arena del campo
y se aleja la mar de violeta!

Rocafort, mayo de 1937

5. *Berilo:* mineral de silicato de aluminio y berilio, cuya principal variedad es la esmeralda.
3. *Atanor:* cañería, especialmente de barro o de cemento.
16. *Guadalaviar:* nombre que recibe el curso alto del río Turia.

6
A Méjico

Varón de nuestra raza,
équite egregio de las altas tierras
entre dos Sierras Madres,
noble por español y por azteca,
tú has sentido solícito y piadoso   5
–sonrisa paternal, mano fraterna–
el rudo parto de la vieja España,
y a la que va a nacer España nueva
acudes con amor, Méjico, libre
libertador que el estandarte llevas   10
de las Españas todas:
¡te colme Dios de luz y de riquezas!

---

2. *Équite:* jinete.

7
Voz de España

      ¡Oh Rusia, noble Rusia, santa Rusia,
cien veces noble y santa
desde que roto el báculo y el cetro,
empuñas el martillo y la guadaña!,
5   en este promontorio de Occidente,
por estas tierras altas
erizadas de sierras, vastas liras
de piedra y sol, por sus llanuras pardas
y por sus campos verdes,
10   sus ríos hondos, sus marinas claras,
bajo la negra encina y el áureo limonero,
junto al clavel y la retama,
de monte a monte y río a río
¿oyes la voz de España?
15   Mientras la guerra truena
de mar a mar, ella te grita: ¡Hermana!

1. *Santa Rusia* fue también el título de un drama de Jacinto Benavente, estrenado en 1932.
5. En el Proverbio LXXXIII había escrito Machado: «En la Hesperia triste, / promontorio occidental».

8
Alerta ★

HIMNO PARA LAS JUVENTUDES
DEPORTIVAS Y MILITARES

Día es de alerta, día
de plena vigilancia en plena guerra
todo día del año. ¡Ay del dormido,
del que cierra los ojos, del que ciega!
No basta despertar cuando amanece: 5
hay que mirar al horizonte. ¡Alerta!

Los que bañáis los cuerpos juveniles
en las aguas más frías de la alberca,
y el pecho dais desnudo al viento helado
de la montaña, ¡alerta!   10
Alerta, deportistas y guerreros,
hoy es el día de la España vuestra.
Fortaleced los brazos,
agilizad las piernas,
los músculos despierten al combate,   15
cuando la sangre roja grite: ¡Alerta!

★ José Machado, en *Últimas soledades de Antonio Machado*, nos informa
del origen de este poema: «Otra tarde unos jóvenes entusiastas fueron a
pedirle una poesía para su Asociación. Y entonces les escribió el magnífico
himno titulado "¡Alerta!", que es de una vibrante emoción. De esta admirable poesía se hicieron muchas reproducciones en ejemplares sueltos».
Esos «jóvenes entusiastas» debían pertenecer a las Juventudes Socialistas
Unificadas, para los que Machado había escrito en otras ocasiones.

Alerta, el cuerpo vigoroso es santo,
sagrado el juego cuando el arma vela
y aprende el golpe recto
20 al pecho de la infamia, ¡alerta, alerta!
Alerta, amigos, porque el tiempo es malo,
el cielo se ennegrece, el mar se encrespa;
alerta el gobernalle,
al remo y a la vela;
25 patrón y marineros,
todos de pie en la nave, ¡alerta, alerta!

En las encrucijadas del camino
crueles enemigos nos acechan:
dentro de casa la traición se esconde,
30 fuera de casa la codicia espera.
Vendida fue la puerta de los mares,
y las ondas del viento entre las sierras,
y el suelo que se labra,
y la arena del campo en que se juega,
35 y la roca en que yace el hierro duro;
sólo la tierra en que se muere es nuestra.

Alerta al sol que nace,
y al rojo parto de la madre vieja.
Con el arco tendido hacia el mañana
40 hay que velar. ¡Alerta, alerta, alerta!

Rocafort, 1937

9
Sonetos

I
LA PRIMAVERA

Más fuerte que la guerra –espanto y grima–
cuando con torpe vuelo de avutarda
el ominoso trimotor se encima,
y sobre el vano techo se retarda,

hoy tu alegre zalema el campo anima,   5
tu claro verde el chopo en yemas guarda.
Fundida irá la nieve de la cima
al hielo rojo de la tierra parda.

Mientras retumba el monte, el mar humea,
da la sirena el lúgubre alarido,   10
y en el azul el avïón platea.

¡Cuán agudo se filtra hasta mi oído,
niña inmortal, infatigable dea,
el agrio son de tu rabel florido!

I.13. *Dea:* diosa.
14. *Rabel:* instrumento músico pastoril semejante al laúd.

EL POETA RECUERDA LAS TIERRAS DE SORIA

¡Ya su perfil zancudo en el regato,
en el azul el vuelo de ballesta,
o, sobre el ancho nido de ginesta,
en torre, torre y torre, el garabato

5   de la cigüeña!... En la memoria mía
tu recuerdo a traición ha florecido;
y hoy comienza tu campo empedernido
el sueño verde de la tierra fría,

Soria pura, entre montes de violeta.
10   Di tú, avión marcial, si el alto Duero
adonde vas recuerda a su poeta,

al revivir su rojo Romancero;
¿o es, otra vez, Caín, sobre el planeta,
bajo tus alas, moscardón guerrero?

III

AMANECER EN VALENCIA
(Desde una torre)

Estas rachas de marzo, en los desvanes
–hacia la mar– del tiempo; la paloma
de pluma tornasol, los tulipanes
gigantes del jardín, y el sol que asoma,

II. Es la última vez en que aparece Soria en la poesía de Machado.
1. *Regato:* arroyo.
3. *Ginesta:* retama (arbusto de flores amarillas).

bola de fuego entre morada bruma, 5
a iluminar la tierra levantina...
¡Hervor de leche y plata, añil y espuma,
y velas blancas en la mar latina!

Valencia de fecundas primaveras,
de floridas almunias y arrozales, 10
feliz quiero cantarte, como eras,

domando a un ancho río en tus canales,
al dios marino con tus albuferas,
al centauro de amor con tus rosales.

IV

LA MUERTE DEL NIÑO HERIDO

Otra vez en la noche... Es el martillo
de la fiebre en las sienes bien vendadas
del niño. –Madre ¡el pájaro amarillo!
¡Las mariposas negras y moradas!

–Duerme, hijo mío–. Y la manita oprime 5
la madre, junto al lecho. –¡Oh flor de fuego!
¿Quién ha de helarte, flor de sangre, dime?
Hay en la pobre alcoba olor de espliego;

fuera, la oronda luna que blanquea
cúpula y torre a la ciudad sombría. 10
Invisible aviön moscardonea.

III.10. *Almunia:* huerto con casa.

–¿Duermes, oh dulce flor de sangre mía?
El cristal del balcón repiquetea.
–¡Oh, fría, fría, fría, fría, fría!

V

De mar a mar, entre los dos la guerra,
más honda que la mar. En mi parterre,
miro a la mar que el horizonte cierra.
Tú asomada, Guiomar, a un finisterre,

5   miras hacia otro mar, la mar de España
que Camoens cantara, tenebrosa.
Acaso a ti mi ausencia te acompaña.
A mí me duele tu recuerdo, diosa.

La guerra dio al amor el tajo fuerte.
10   Y es la total angustia de la muerte,
con la sombra infecunda de la llama

y la soñada miel de amor tardío,
y la flor imposible de la rama
que ha sentido del hacha el corte frío.

V.1. «De mar a mar», que dio nombre a una revista del exilio, se convirtió en metáfora de la diáspora de 1939.
2. *Parterre:* trozo de jardín con flores o césped.
4-6. *Finisterre:* extremo del mundo. Aquí se refiere a las costas de Portugal donde se refugió Guiomar con su familia poco antes de que esta-
llara la guerra. También Machado recuerda el poema épico *Os Lusiadas*
(1572), en el que Luis de Camões, con una mezcla de elementos mitoló-
gicos, históricos y legendarios, elogió las navegaciones y los descubrimientos portugueses. «Tenebrosa» era el calificativo que los navegantes
antiguos daban al océano Atlántico, antes de que se iniciara la época de
los descubrimientos.

Otra vez el ayer. Tras la persiana,
música y sol; en el jardín cercano,
la fruta de oro; al levantar la mano,
el puro azul dormido en la fontana.

Mi Sevilla infantil, ¡tan sevillana!,   5
¡cuál muerde el tiempo tu memoria en vano!
¡Tan nuestra! Aviva tu recuerdo, hermano.
No sabemos de quién va a ser mañana.

Alguien vendió la piedra de los lares
al pesado teutón, al hambre mora,   10
y al ítalo las puertas de los mares.

¡Odio y miedo a la estirpe redentora
que muele el fruto de los olivares,
y ayuna y labra, y siembra y canta y llora!

VI.5-8. En estos versos se ha visto una alusión a su hermano Manuel,
que en Burgos apoyaba al general Franco.
9. *Lar:* hogar (vivienda de la familia).
10. *Teutón:* alemán.
11. *Ítalo:* italiano.

Trazó una odiosa mano, España mía
–ancha lira, hacia el mar, entre dos mares–,
zonas de guerra, crestas militares,
en llano, loma, alcor y serranía.

5   Manes del odio y de la cobardía
cortan la leña de tus encinares,
pisan la baya de oro en tus lagares,
muelen el grano que tu suelo cría.

Otra vez –¡otra vez!– ¡oh triste España!,
10   cuanto se anega en viento y mar se baña
juguete de traición, cuanto se encierra

en los templos de Dios mancha el olvido,
cuanto acrisola el seno de la tierra
se ofrece a la ambición, ¡todo vendido!

VII.5. *Manes:* espíritus.
7. *Baya:* fruto carnoso y jugoso que contiene semillas rodeadas de pulpa.

(A otro Conde D. Julián)

Más tú, varona fuerte, madre santa,
sientes tuya la tierra en que se muere,
en ella afincas la desnuda planta,
y a tu Señor suplicas: ¡Miserere!

¿Adónde irá el felón con su falsía?   5
¿En qué rincón se esconderá sombrío?
Ten piedad del traidor. Parile un día,
se engendró en el amor, es hijo mío.

Hijo tuyo es también, Dios de bondades.   10
Cúrale con amargas soledades.
Haz que su infamia su castigo sea.

Que trepe a un alto pino en la alta cima,
y en él ahorcado, que su crimen vea,
y el horror de su crimen lo redima.

Rocafort, marzo 1938

VIII. Este poema no se pudo editar en España hasta después de 1975.
5. *Felón:* traidor.

10
A Líster

JEFE EN LOS EJÉRCITOS DEL EBRO

Tu carta –oh noble corazón en vela,
español indomable, puño fuerte–,
tu carta, heroico Líster, me consuela
de esta, que pesa en mí, carne de muerte.

5   Fragores en tu carta me han llegado
de lucha santa sobre el campo ibero;
también mi corazón ha despertado
entre olores de pólvora y romero.

Donde anuncia marina caracola
10 que llega el Ebro, y en la peña fría
donde brota esa rúbrica española,

de monte a mar, esta palabra mía:
«Si mi pluma valiera tu pistola
de capitán, contento moriría».

3. Enrique Líster (1907-1994) tuvo que exiliarse durante la Dictadura
de Primo de Rivera, debido a sus actividades políticas. Instalado en la
Unión Soviética, se afilió al Partido Comunista. Durante la Guerra
Civil, fue comandante del 5.º Regimiento, encargado de la defensa de
Madrid, y de la 11.ª División («División Líster»), que actuó en todas las
grandes batallas de la zona Centro. Machado responde aquí a una carta
suya.

11
Miaja ⋆

Tu nombre, capitán, es para escrito
en la hoja de una espada
que brille al sol, para rezarlo a solas,
en la oración de un alma,
sin más palabras, como   5
se escribe *César,* o se reza *España.*

⋆ El general José Miaja (1878-1958) fue uno de los militares más fieles al régimen republicano. En noviembre de 1936, ante el avance de las tropas nacionalistas, el gobierno republicano marchó a Valencia y lo nombró presidente de la Junta de Defensa de Madrid. Logró detener el avance enemigo, y en abril de 1938 extendió su mando a los ejércitos de la zona Centro-Sur. Al finalizar la guerra, se exilió en México.

12

A Federico de Onís ★

Para ti la roja flor
que antaño fue blanca lis,
con el aroma mejor
del huerto de Fray Luis.

Barcelona, junio 1938

★ Federico de Onís (1885-1967) fue profesor y crítico literario. En 1916 se encargó de la dirección del Departamento de Español de la Universidad neoyorquina de Columbia. Durante la Guerra Civil se identificó con la causa popular. El 26 de mayo de 1938 escribió a Machado y a Tomás Navarro Tomás: «Nadie sabe cuál será el porvenir del mundo y de nuestras ideas: pero pase lo que pase, yo seguiré creyendo en la libertad, la justicia y la democracia, y me sentiré incompatible con todos los sistemas llamados hoy "totalitarios" que pretenden destruirlas». Es autor de una *Antología de la poesía española e hispanoamericana* (1882-1932), en la que figura Antonio Machado.

13
Tarjetas postales infantiles ★

I

Si vino la primavera,
volad a las flores, como las abejas;
volad a las flores, niños;
no chupéis la cera.

II

Pequeñín que lloras
porque te lavan:
tu mejor amigo
sea el agua clara.

★ A Machado se le atribuyen unos poemillas de carácter pedagógico que figuraban en unas postales editadas en 1937 por el gobierno republicano para que los niños evacuados en Guarderías y Colonias pudieran comunicarse con sus familiares. En ellos se hacía una apología de la instrucción y del estudio, de la limpieza corporal, etc., y se dejaba constancia de los ideales redentores con que cada nueva generación se enfrenta al mundo. En el primero se retomaba una idea expuesta en el Proverbio número XVI de *Nuevas canciones:* «Si vino la primavera, / volad a las flores; / no chupéis cera». En otras postales figuraban estos dos textos: «Respeto y amor a la vejez» y «Cada nido es un hogar: respetadlo». El primero iba acompañado de un dibujo que representaba a un anciano y a un niño que le besaba la frente; el segundo, un árbol con un nido al que contemplaba un niño con la aparente intención de apropiárselo.

III

Siempre al mundo viejo
–trabajo y fatiga–
el niño lo salva
con sus ojos nuevos.

IV

Ved al niño encaramado
en el árbol de la ciencia;
entre sus piernas, la rama;
el fruto, entre ceja y ceja.

14
Coplas

I

Papagayo verde,
lorito real,
di tú lo que sabes
al sol que se va.

⋆　⋆　⋆

Tengo un olvido, Guiomar,　　　5
todo erizado de espinas,
hoja de nopal.

⋆　⋆　⋆

Cuando truena el cielo
(¡qué bonito está
para la blasfemia!)　　　10
y hay humo en el mar...

⋆　⋆　⋆

En los yermos altos
veo unos chopos de frío
y un camino blanco.

⋆　⋆　⋆

I.7. *Nopal:* planta cactácea que da los higos chumbos.

15   En aquella piedra...
        (¡tierras de la luna!)
        ¿nadie lo recuerda?

                ★   ★ ★

        Azotan el limonar
        las ráfagas de febrero.
20   No duermo por no soñar.

Sobre la maleza,
las brujas de Macbeth
danzan en corro y gritan:
¡tú serás rey!
(thou shalt be king, all hail!)   5

Y en el ancho llano:
«Me quitarán la ventura
–dice el viejo hidalgo–,
me quitarán la ventura,
no el corazón esforzado».   10

Con el sol que luce
más allá del tiempo
(¿quién ve la corona
de Macbeth sangriento?),
los encantadores   15
del buen caballero
bruñen los mohosos
harapos de hierro.

II.5. Machado cita, con incorrecciones, la escena primera de esta obra
de Shakespeare en la que las brujas profetizan que Macbeth será rey y
que los hijos de Banquo le sucederán.
7. Se refiere al comentario de don Quijote, después de la aventura de los
leones: «¿Qué te parece desto, Sancho?, dijo don Quijote. ¿Hay encantos
que valgan contra la verdadera valentía? Bien podrán los encantadores
quitarme la ventura; pero el esfuerzo y el ánimo será imposible» (II, 17).

15

Estos días azules y este sol de la infancia.

(Verso escrito por Machado poco antes de morir)

Apéndice

1. Poética

En este año de su *Antología* –1931– pienso, como en los años del modernismo literario (los de mi juventud), que la poesía es la palabra esencial en el tiempo. La poesía moderna, que, a mi entender, arranca, en parte al menos, de Edgardo Poe, viene siendo hasta nuestros días la historia del gran problema que al poeta plantean estos dos imperativos, en cierto modo contradictorios: esencialidad y temporalidad.

El pensamiento lógico, que se adueña de las ideas y capta lo esencial, es una actividad destemporalizadora. Pensar lógicamente es abolir el tiempo, suponer que no existe, crear un movimiento ajeno al cambio, discurrir entre razones inmutables. El principio de identidad –nada hay que no sea igual a sí mismo– nos permite anclar en el río de Heráclito, de ningún modo aprisionar su onda fugitiva. Pero al poeta no le es dado pensar fuera del tiempo, porque piensa su propia vida, que no es, fuera del tiempo, absolutamente nada.

Me siento, pues, algo en desacuerdo con los poetas del día. Ellos propenden a una destemporalización de la lírica, no sólo por el desuso de los artificios del ritmo, sino, sobre todo, por el empleo de las imágenes en función más conceptual que emotiva. Muy de acuerdo, en cambio, con los poetas futuros de mi *Antología*, que daré a la estampa, cultivadores de una lírica, otra vez inmergida en «las mesmas vivas aguas de la vida», dicho sea con frase de la pobre Teresa de Jesús (la llamo pobre, porque recuerdo a algunos de sus comentaristas). Ellos devolverán su honor a los románticos, sin serlo ellos mismos; a los poetas del siglo lírico, que acentuó con un adverbio temporal su mejor poema, al par que ponía en el tiempo, con el principio de Carnot, la ley más general de la Naturaleza.

Entretanto se habla de un nuevo clasicismo, y hasta de una nueva poesía del intelecto. El intelecto no ha cantado jamás, no es su misión. Sirve, no obstante, a la poesía, señalándole el imperativo de su esencialidad. Porque tampoco hay poesía sin ideas, sin visiones de lo esencial. Pero las ideas del poeta no son categorías formales, cápsulas lógicas, sino directas intuiciones del ser que deviene, de su propio existir; son, pues, temporales, nunca elementos ácronos, puramente lógicos. El poeta profesa, más o menos conscientemente, una metafísica existencialista, en la cual el tiempo alcanza un valor absoluto. Inquietud, angustia, temores, resignación, esperanza, impaciencia que el poeta canta, son signos del tiempo, y, al par, revelaciones del ser en la conciencia humana.

En la antología *Poesía española contemporánea*.
de Gerardo Diego, publicada en 1932

2. Mi padre

Ya casi tengo un retrato
de mi buen padre, en el tiempo,
pero el tiempo se lo va llevando.
Mi padre, cazador en la ribera
del Guadalquivir, ¡en un día tan claro!,   5
–es el cañón azul de su escopeta
y del tiro certero el humo blanco–.
Mi padre en el jardín de nuestra casa,
mi padre, entre sus libros, trabajando.
Los ojos grandes, la alta frente,   10
el rostro enjuto, los bigotes lacios.
Mi padre escribe (letra diminuta)
medita, sueña, sufre, habla alto.
Pasea –oh padre mío, ¡todavía
estás ahí, el tiempo no te ha borrado!   15
Ya soy más viejo que eras tú, padre mío, cuando me
                                                    [besabas.
Pero en el recuerdo, soy también el niño que tú
                                        [llevabas de la mano.
¡Muchos años pasaron sin que yo te recordara, padre mío!
¿Dónde estabas tú en esos años?

                                                13 marzo 1916

245

3. Proverbios y cantares

Machado publicó algunos «Proverbios y cantares» en *Revista de Occidente* (I, n.º III, 1923). Al recogerse en *Nuevas canciones* se omitieron los poemitas que siguen (respetamos el número que tenían originalmente).

XII

Tres palabras suenan
al fin de tres sueños
y las tres desvelan.

XIII

Es la primera tu nombre;
la segunda, el nombre de ella...
Te daré más que me pidas
si me dices la tercera.

XVII

Ya de un tiempo heraclitano
parece apagado el fuego.
Aún lleva un ascua en la mano.

XXIV

Enemigo
que por el amor me hieres,
brazo de Dios, ¡Dios contigo!

XXVI

Mas dejemos
abstrusas filosofías.
Añoremos
–en esta Hesperia de Europa–,
¡oh hermanos!, los viejos días   5
de un siglo de masa y tropa,
y de suspiros amargos,
y de pantalones largos,
y de sombreros de copa.
Siglo struggle-for-lifista,   10
cucañista,
boxeador más que guerrero,
del vapor y del acero.
Siglo disperso y gregario,
de la originalidad;   15
siglo multitudinario
que inventó la soledad.

Bajo el pintado carmín,
tuvo salud y alegría;
20   bajo su máscara fría,
fue del candor al esplín.
Siglo que olvidó a Platón
y lapidó al Cristo vivo.
Wagner, el estudiantón,
25   le dio su homúnculo activo.
Azogado y errabundo,
sensible y sensacional,
tuvo una fe: la esencial
acefalía del mundo.

4. «Perdón, madona del Pilar, si llego»*

Perdón, madona del Pilar, si llego
al par que nuestro amado florentino,
con una mata de serrano espliego,
con una rosa de silvestre espino.
    ¿Qué otra flor para ti de tu poeta   5
si no es la flor de su melancolía?
Aquí, donde los huesos del planeta
pule el sol, hiela el viento, diosa mía,
    ¡con qué divino acento
me llega a mi rincón de sombra y frío   10
tu nombre, al acercarme el tibio aliento
    de otoño, el hondo resonar del río!
Adiós; cerrada mi ventana, siento
junto a mí un corazón... ¿Oyes el mío?

* Este soneto fue escrito para acompañar una edición de Dante que Machado pensaba regalar a Guiomar.

5. El quinto detenido y las fuerzas vivas★

«El quinto detenido –dice *La Voz* del 24 de agosto, al dar cuenta del crimen de Zaragoza, perpetrado por un obrero, que dijo llamarse Inocencio Domingo– es un individuo que se presentó en la Comisaría llevando comida para Inocencio.»

El quinto detenido... Los graciosos
que juegan del vocablo
hacen su chiste en su café. Yo digo:
¡Oh santidad del pueblo! ¡Oh pueblo santo!

★ ★ ★

5   Cesaraugusta tiene
ira y sangre en las manos,
ira y piedad. – ¡Vendas, camillas...! ¡Pronto!
Voces: «¡A muerte el vil!». Gritos: «¡Picadlo!».

★ ★ ★

★ El diario *La Voz* del 24 de agosto de 1920 informaba sobre el asesinato en Zaragoza de tres funcionarios. La presencia en Comisaría de un hombre que llevaba comida para el asesino inspira este poema de Machado.

Cesaraugusta brama,
con su rejón clavado,   10
como un toro en la arena.
Ya el asesino es un muñeco laxo
que las turbas arrollan, que las turbas
golpean. Puños. Palos.

★   ★   ★

Caballos y correas amarillas,   15
sables al sol, tricornios charolados.

★   ★   ★

Cesaraugusta tiene
clamor de plaza ante el balcón cerrado
de la Casa del Pueblo.
Como en Esquilo, trágicos   20
los brazos y las bocas...
No, es un furor judaico,
que grita enronquecido:
«¡Muera la prole de Caín el Malo!».

★   ★   ★

Por una calle solitaria, un hombre   25
de blusa azul, el rostro mal rapado,
los ojos inocentes y tranquilos
y el corazón ligero, aprieta el paso.
Lleva en la mano diestra
un bulto envuelto en un pañuelo blanco.   30
Dobla la esquina.
                    –¿Adónde vas?
                                        –Le llevo
un poco de comida a ese muchacho.

6. (Mairena lee y comenta versos de su maestro)*

Mairena no era un recitador de poesías. Se limitaba a leer sin gesticular y en un tono neutro, levemente musical. Ponía los acentos de la emoción donde suponía él que los había puesto el poeta. Como no era tampoco un virtuoso de la lectura, cuando leía versos –o prosa– no pretendía nunca que se dijese: ¡qué bien lee este hombre!, sino: ¡qué bien está lo que este hombre lee!, sin importarle mucho que se añadiese: ¡lástima que no lea mejor! Le disgustaba decir sus propios versos, que no eran para él sino cenizas de un fuego o virutas de una carpintería, algo que ya no le interesaba. Oírlos declamados, cantados, bramados por los recitadores y, sobre todo, por las recitadoras de oficio, le hubiera horripilado. Gustaba, en cambio, de oírlos recitar a los niños de las escuelas populares.

★ ★ ★

Escribiré en tu abanico:
te quiero para olvidarte,
para quererte te olvido.

* En *Juan de Mairena*, VIII.

Estos versos de mi maestro Abel Martín –habla Mairena a sus alumnos– los encontré en el álbum de una señorita –o que lo fue, en su tiempo– de Chipiona. Y estos otros escritos en otro álbum, y que parecen la coda de los anteriores:

> Te abanicarás
> con un madrigal que diga:
> en amor el olvido pone la sal.

Y estos otros, publicados hace muchos años en *El Faro de Rota*:

> Te mandaré mi canción:
> «Se canta lo que se pierde»,
> con un papagayo verde
> que la diga en tu balcón.

Son versos juveniles de mi maestro, anteriores no a la invención, acaso, pero sí al uso y abuso del fonógrafo, de ese magnífico loro mecánico que empieza hoy a fatigarnos el tímpano. En ellos se alude a una canción que he buscado en vano, y que tal vez no llegó a escribirse, al menos con ese título.

Pensaba mi maestro, en sus años románticos, o –como se decía entonces con frase epigramática popular– «de alma perdida en un melonar», que el amor empieza con el recuerdo, y que mal se podía recordar lo que antes no se había olvidado. Tal pensamiento expresa mi maestro muy claramente en estos versos:

> Sé que habrás de llorarme cuando muera
> para olvidarme y, luego,
> poderme recordar, limpios los ojos

que miran en el tiempo.
5   Más allá de tus lágrimas y de
tu olvido, en tu recuerdo,
me siento ir por una senda clara,
por un «Adiós, Guiomar» enjuto y serio.

Mi maestro exaltaba el valor poético del olvido, fiel a su metafísica. En ella –conviene recordarlo– era el olvido uno de los «siete reversos, aspectos de la nada o formas del gran Cero». Merced al olvido puede el poeta –pensaba mi maestro– arrancar las raíces de su espíritu, enterradas en el suelo de lo anecdótico y trivial, para amarrarlas, más hondas, en el subsuelo o roca viva del sentimiento, el cual no es ya evocador, sino –en apariencia, al menos– alumbrador de formas nuevas. Porque sólo la creación apasionada triunfa del olvido.

... ¡Sólo tu figura
como una centella blanca
escrita en mi noche oscura!

Y en la tersa arena,
5   cerca de la mar,
tu carne rosa y morena,
súbitamente, Guiomar.

En el gris del muro,
cárcel y aposento,
10   y en un paisaje futuro
con sólo tu voz y el viento;

en el nácar frío
de tu zarcillo en mi boca,

> Guiomar, y en el calofrío
> de una amanecida loca;   15
> asomada al malecón
> que bate la mar de un sueño,
> y bajo el arco del ceño
> de mi vigilia, a traición,
> ¡siempre tú!, Guiomar, Guiomar,   20
> mírame en ti castigado:
> reo de haberte creado,
> ya no te puedo olvidar.

Aquí la creación aparece todavía en la forma obsesionante del recuerdo. A última hora el poeta pretende licenciar a la memoria, y piensa que todo ha sido imaginado por el sentir.

> Todo amor es fantasía:
> él inventa el año, el día,
> la hora y su melodía,
> inventa el amante y, más,
> la amada. No prueba nada   5
> contra el amor que la amada
> no haya existido jamás...

7. Cancionero apócrifo

Poetas que pudieron existir

[1]★ *Jorge Menéndez*. Nació en Chipiona en 1828. Murió en Madrid en 1904. Empleado de Hacienda y autor dramático. Colaboró con Retés. Murió de apoplejía. La composición que se copia fue enviada como anónima a Francisco Villaespesa y se atribuyó a don Manuel Valcárcel. Su verdadero autor fue descubierto por Nilo Fabra. Don Jorge Menéndez acabó cultivando el alejandrino.

SALUDANDO A LOS MODERNISTAS

Los del semblante amarillo
y del pelo largo y lucio,
que hoy tocan el caramillo,
son flores de patinillo,
5   lombrices de caño sucio.

1901

★ La numeración está tomada de la edición de Oreste Macrí de las *Poesías* de Machado.

[2] *Víctor Acucroni.* De origen italiano. Nació en Málaga
en 1869. Murió en Montevideo en 1902.

> Esta bolita de marfil sonora
> que late dentro de la encina vieja
> me hace dormir...
> En sueños,
> un ave de cristal ¡mli! n'el olmo suena.

[3] *José María Torres.* Nació en Puerto Real en 1838.
Murió en Manila en 1898. Fue gran amigo de Manuel
Sawa.

MAR

> A la hora de la tarde
> viene un gigante a pensar.
> Junto al mar, que mucho suena,
> medita, sordo a la mar.
> En el fondo de sus ojos   5
> las naves huyendo están,
> entre delfines de bruma,
> sobre el bermejo del mar.
> Él no ve ni el mar ni el cielo,
> él sólo ve su pensar.   10
> ¡Gigante meditabundo
> a la vera de la mar!

[4] *Manuel Cifuentes Fandanguillo.* Nació en Cádiz en
1876. Murió en Sevilla en 1899 de un ataque de alcoholis-
mo agudo.

>   Las cañas de Sanlúcar
>   me gustan a mí
>   porque me quitan las penas.
>   Échame un ferrocarril.
>   ....
5   Manzanilla en el barco,
>   jugo de la tierra
>   que van mareando.

★　★　★

>   En Jerez de la Frontera,
>   tormentas de vino blanco.

★　★　★

10   Para Narcisos, tu calle,
>   donde al que pasa le dicen:
>   suba un ratito, Don Nadie.

[5] *Antonio Machado.* Nació en Sevilla en 1875. Fue profesor en Soria, Baeza, Segovia y Teruel. Murió en Huesca en fecha todavía no precisada. Alguien lo ha confundido con el célebre poeta del mismo nombre, autor de *Soledades, Campos de Castilla*, etc.

[1]

ALBORADA

>   A la hora del rocío
>   sonando están,
>   las campanitas del alba,
>   ¡tin tan, tin tan!

Como lágrimas de plomo   5
en mi oído dan,
y en tu sueño, niña, como
copos de nieve serán.
    Tin tan, tin tan. ¡Quién oyera
las campanitas del alba   10
sentado a tu cabecera!
    Tin tan, tin tan,
las campanitas del alba,
sonando están.

[II]

DE ANTONIO MACHADO (APÓCRIFO)

Nunca un amor sin venda ni aventura;
huye del triste amor, de amor pacato
que espera del amor prenda segura
sin locura de amor, ¡el insensato!
    Ese que el pecho esquiva al niño ciego,   5
y blasfema del fuego de la vida,
quiere ceniza que le guarde el fuego
de una brasa pensada y no encendida.
    Y ceniza hallará, no de su llama,
cuando descubra el torpe el desvarío   10
que pedía sin flor fruto a la rama.
    Con negra llave el aposento frío
de su cuarto abrirá. Oh, ¡desierta cama
y turbio espejo! ¡Oh corazón vacío!

[6] *Abraham Macabeo de la Torre.* Nació en Osuna en 1824. De origen judío y maestro de Rafael Cansinos y Assens. Tradujo el libro del Cuzari. Murió en Toledo en 1894.

> ¡Oh estrella de la paciencia
> en el azul de la noche
> brilla, clara estrella!
>   Los que aquí te vieron
> 5   te verán también
>   en las torres altas
>   de Jerusalén.

[7] *Lope Robledo.* Nació en Segovia en 1812. Murió en Sepúlveda en 1860.

> Tiene el pueblo siete llaves
> para siete puertas.
> Son siete puertas al campo,
> las siete abiertas.

[8] *Tiburcio Rodrigálvarez.* Nació en Almazán en 1838. Murió en Soria en 1908. Fue amigo de Gustavo Adolfo Bécquer, de quien conservó siempre grato y vivo recuerdo.

[i]

> Era la mayor, Clotilde,
> rubia como la candela,
> era la más pequeñita
> Inés, como el pan, morena.

> Una tarde de verano   5
> se partieron de la aldea;
> salieron a un prado verde,
> posaron sobre la hierba.

....

[Nota marginal:] No he podido recordar el texto del romance en que se describe una tormenta de verano. Sólo recuerdo estos dos versos:

[II]

> ...el viento húmedo sopla;
> los montes relampaguean.

Fue leída por su autor, que poseía también algunos autógrafos de Bécquer.

[9] *Pedro Carranza*. Nació en Valladolid en 1878.

> Sube y sube, pero ten
> cuidado, nefelibata,
> que entre las nubes también
> se puede meter la pata.

[10] *Abel Infanzón*. Nació en Sevilla en 1825. Murió en París en 1887.

> ¡Oh maravilla,
> Sevilla sin sevillanos,
> la gran Sevilla!

Dadme una Sevilla vieja
5   donde se dormía el tiempo
en palacios con jardines,
bajo un azul de convento.
Salud, oh sonrisa clara
del sol en el limonero
10 de mi rincón de Sevilla,
¡oh alegre como un pandero,
luna redonda y beata,
sobre el tapial de mi huerto!
Sevilla y su verde orilla,
15 sin toreros ni gitanos,
Sevilla sin sevillanos,
¡oh maravilla!

[11] *Andrés Santallana*. Nació en Madrid en 1899.

EL MILAGRO

En Segovia, una tarde, de paseo
por la alameda que el Eresma baña,
para leer mi Biblia
eché mano al estuche de las gafas,
5   en busca de ese andamio de mis ojos,
mi volado balcón de la mirada.
Abrí el estuche, con el gesto firme
y doctoral de quien se dice: aguarda
y ahora verás si veo...
10 Abrí el estuche, pero, dentro: nada;
point de lunettes... ¿Huyeron? Juraría
que algo brilló cuando la negra tapa
abrí del diminuto

ataúd de bolsillo, y que volaban,
huyendo de su encierro,   15
cual mariposa de cristal, mis gafas.
    El libro bajo el brazo,
la orfandad de mis ojos paseaba
pensando: hasta las cosas que dejamos
muertas de risa en casa,   20
tienen su doble donde estar debieran
o es un acto de fe toda mirada.

[12] *José Mantecón del Palacio.* Nació en Almería en
1874. † en 1902.

El aire por donde pasas,
niña, se incendia,
y a la altura de tus ojos,
relampaguea.

              ★   ★   ★

Guarde Dios mi barco
de la nube negra,
y guarde mi corazón
del aire de mi morena.

              ★   ★   ★

No me mires más,
y si me miras, avisa
cuándo me vas a mirar.

              ★   ★   ★

Llevando el viento de cara,
yo iba de Argel a Almería.
¡Dios mío, si no llegara!...
Quizás lo mejor sería.

* * *

Quien ve el faro de su puerto
de lejos parpadear
piensa en tormentas peores
que las tormentas del mar.

[13] *Froilán Meneses.* Nació en León en 1862. † en
1893.

[I]
FRAGMENTO

En Zamora hay una torre,
en la torre hay un balcón,
en el balcón una niña,
su madre la peina al sol.

5   Ha pasado un caballero
¡quién sabe por qué pasó!
y al ver a la blanca niña,
volver de noche pensó.

Embozado en negra capa
10   el caballero volvió
y antes de salir la luna,
la niña se apareció.

Desde el balcón a la calle,
desde la calle al balcón,

si palabras de amor suben,   15
bajan palabras de amor.
....

    Pasada la media noche
cuando quebraba el albor,
el conde vuelve de caza
de los montes de León.   20
    Saliole al paso la niña,
–por aquí paséis, señor,
tengo en mi lecho un hermano
que malherido cayó.
    No entréis en la alcoba, Conde.   25
–Dejadme pasar, por Dios,
que yerbas traigo del monte
y habré de sanarle yo.
....

[II]

    Aunque tú no lo confieses
alguien verá, de seguro,
lo que hay de romance puro
en tu romance, Meneses.

                                      A. M.

[14] *Adrián Macizo.*

TRADUCCIÓN DE SHAKESPEARE

    Mi vida ¡cuánto te quiero!,
dijo mi amada, y mentía.
Yo también mentí: te creo.

> Te creo, dije, pensando:
5   así me tendrá por niño.
> Mas ella sabe mis años.

> Si dos mentirosos hablan
> ya es la mentira inocente:
> se mienten, mas no se engañan.
10 Pero los labios que besan
> son de mentira tan dulce...
> Mintamos a boca llena.

[15] *Manuel Espejo.*

> Oí decir a un gitano:
> se miente más que se engaña;
> y se gasta más saliva
> de la necesaria.

[16] *[Jose Luis Fuentes.]*

> Oscuro para que atiendan;
> claro como el agua, claro
> para que nadie comprenda.

Así decía José Luis Fuentes, poeta sanluqueño, místico y borracho, muerto en Cádiz hacia finales del pasado siglo.

8. ¡Madrid!

[Un año después del poema «¡Madrid, Madrid!, ¡qué bien tu nombre suena…»», dedicó Machado este texto a la capital de España.]

Madrid, el «frívolo» Madrid, nos reservaba la sorpresa de revelarnos, a tono con las circunstancias más trágicas de la vida española, toda la castiza grandeza de su pueblo. En los rostros madrileños, durante unos días de seriedad, vimos a España entera en su mejor retrato. Madrid, frunciendo el ceño oportunamente, había eliminado al señorito y ya podía sonreír otra vez.

El enemigo –los traidores de dentro y los invasores de fuera– se iba poco a poco aproximando a Madrid. La aviación enemiga multiplicaba sus asesinatos monstruosos de los inermes y los inofensivos: de enfermos, de ancianos, de mujeres, de niños. El cielo otoñal madrileño, con sus nubes de plata y sus lluvias ligeras, tan alegre antaño, tan hospitalario y acogedor cuando nos anunciaba los días del renacer de la vida ciudadana, la vuelta de los escolares a sus estudios, la reapertura de sus centros de solaz y cultura, era ahora una constante invitación a la blasfemia, a una blasfemia que los combatientes no proferían. Madrid había recobrado su sonrisa, «a pesar de todo», expresiva ahora de una ironía mucho más honda. Madrid había llegado a una plena conciencia de su grandeza y de su soledad, quiero decir que Madrid se sentía a solas con España, con lo más hondo y perdurable de su raza, con ese ímpetu español que no mienta a la patria, porque es la patria misma, y que, cuando otros la invocan para traicionarla y venderla, acude a defenderla y a comprarla con la propia sangre. Con España –y algunos nobles amigos extranjeros–, y enfrente de los traidores, de los cobardes, de los asesinos, de las hordas compradas al hambre africano, enfrente de los siervos incondicionales, ciegos instrumentos de la reacción europea, frente a los más sombríos fantasmas de la historia, más o menos motorizados, frente a las tropas italianas de flamantes equipos militares, al servicio de un faquín endiosado, frente a los técnicos de la guerra, de una guerra sin posible victoria, sabios verdugos del género humano, a sueldo de la ambición germánica... Era todo eso lo que Madrid tenía enfrente, lo que Madrid oía tronar a sus puertas.

Quien oyó los primeros cañonazos disparados sobre Madrid por las baterías facciosas, emplazadas en la Casa de Campo, conservará para siempre en la memoria una de las emociones más antipáticas, más angustiosas y perfectamente demoníacas que pueda el hombre experimentar en su vida. Allí estaba la guerra, embistiendo testaruda y bestial, una guerra sin sombra de espiritualidad, hecha de maldad y rencor, con sus ciegas máquinas destructoras vomitando la muerte de un modo frío y siste-

mático sobre una ciudad casi inerme, despojada vilmente
de todos sus elementos de combate, sobre una ciudad que
debía ser sagrada para todos los españoles, porque en ella
teníamos todos –ellos también– alguna raíz sentimental
y amorosa. Los asesinos de Madrid, asesinos de España,
estaban allí, crueles, implacables... Pero no entraban.
¡Ah! No podían entrar. Hubo de aplazarse indefinida-
mente el sacrílego *Te Deum* en la Puerta del Sol, que pro-
yectaban aquellos enemigos de Dios, para festejar la con-
sumación de su crimen. No entraban, no podían entrar,
porque Madrid no lo consentía. Un general insigne y
unos cuantos capitanes egregios –¿habrá algún día bronce bastante para ellos?– cuajaron con pechos madrileños
un frente de combate, una barrera infranqueable por el
odio faccioso. Ha pasado un año y, para asombro del
mundo –¿merece el mundo tan sublime espectáculo?–
esa barrera sangra, pero no cede. ¿Triunfará Madrid? La
victoria la ha ganado cien veces, quiero decir que cien
veces la ha merecido.

(Valencia, 7 noviembre 1937)